welcometo.as

La collection design&designer est éditée par
PYRAMYD NTCV
15, rue de Turbigo
75002 Paris France

Tél. : 33 (0) 1 40 26 00 99
Fax : 33 (0) 1 40 26 00 79
www.pyramyd-editions.com

Direction éditoriale : Michel Chanaud, Céline Remechido
Suivi éditorial : Émilie Lamy assistée de Clémence Thomas
Traduction : Robin Cassling, Laurence Richard
Correction : Dominique Védy, Paul Jones
Conception graphique du livre : Anna Tunick
Conception graphique de la couverture : Welcometo.as
Conception graphique de la collection : Super Cinq

ISBN : 978-2-35017-130-2
ISSN : 1636-8150
Dépôt légal : juillet 2008

Imprimé en Italie par Eurografica

welcometo.as

préfacé par michal nanoru

VOUS ÊTES ICI

Enfant, la nuit, Sébastien Bohner, aujourd'hui l'une des moitiés de Welcometo.as, regardait à Berne, en Suisse, les jouets de sa chambre sous l'éclat des étoiles illuminant le ciel. « Quand j'avais six ans, on a emménagé dans une maison près de Lausanne ; ma chambre se trouvait sous les toits. Tout autour, il y avait des pins, la forêt était toute proche, alors mes parents ont pensé qu'on pourrait placer, en hiver, sur le rebord de ma fenêtre, des graines pour les oiseaux. Cela a si bien marché que même les écureuils et les souris escaladaient le mur ! De ma fenêtre, je voyais le jardin ainsi qu'un arbre immense. Mon père avait suspendu un énorme filet à la plus grosse branche ; ma sœur et moi, nous nous y accrochions de toutes nos forces et nous dévalions la colline en courant pour nous jeter dans les airs. Pendant des années, ce fut notre jeu préféré. »

Enfant, la nuit, Adam Machacek, aujourd'hui l'autre moitié de Welcometo.as, regardait à Prague, capitale de l'ancienne Tchécoslovaquie, les jouets à la lumière d'une seule étoile, rouge. « Notre fenêtre donnait sur un petit parc, où on jouait au hockey avec une balle de tennis, et sur l'université technique,

YOU ARE HERE

As a boy, Sébastien Bohner, today one half of Welcometo.as, could see the toys in his bedroom at night, in Bern, Switzerland, under the light of the stars in the sky. "At the age of six I moved into a new house near Lausanne and my room was under the roof. All around I could see small pine trees, and the forest wasn't far, so my parents thought that outside my window would be the ideal place to leave food to attract the birds in winter. It worked so well that even squirrels and mice used to come and climb up the wall. From my window I could also see the garden and a big tree. My father hung a massive net from its largest branch so that, holding on tight, we could run down the hill and throw ourselves into the air. For years it was my sister's and my favourite game."

As a boy, Adam Machacek, today the other half of Welcometo.as, could see the toys in his bedroom at night, in Prague, the capital of then Czechoslovakia, under the light of just one star – a red one. "The view from our

dont l'enseigne au néon proclamait "AVEC KSC POUR LA PAIX"[1], avec un globe et une étoile rouge. La nuit, la lumière éclairait notre chambre. Puis ce fut la révolution, j'avais neuf ans ; pendant un temps, seuls subsistèrent de l'enseigne au néon les mots "POUR LA PAIX" et le globe. L'Hôtel Internacionál se trouvait aussi tout près. »

L'Hôtel Internacionál, structure symbolique à bien des égards, était – et reste encore pour une large part – une vitrine du realsocialisme à la tchèque des années 1950. Sur la façade extérieure, un relief illustre la collaboration amicale des nations : il a été créé par des professeurs et des étudiants de l'Académie des arts, de l'architecture et du design quarante ans avant que Machacek la fréquente comme étudiant. Surplombé d'une étoile rouge de deux cent cinquante kilos, cet hôtel était le lieu où les gros bonnets du régime recevaient les invités de marque étrangers. Paradoxalement, pendant des années, c'était aussi l'endroit où se procurer certains des objets que le socialisme soviétique et sa morne réalité considéraient comme les plus subversifs : des paquets de Western vides. (Le frère aîné d'Adam, également designer de son état, collectionnait déjà à l'époque des cannettes de boissons gazeuses ; il laissa à Adam les paquets de cigarettes vides.) Difficile d'expliquer à quiconque ayant grandi en

window looked out onto a small park, where we used to play hockey with a tennis ball, and onto the building of the Czech Technical University, which had this massive neon sign that said 'WITH KSC FOR PEACE',[1] along with a globe and a red star. At night it used to glare in through our window. Then the revolution happened when I was nine, and for a while all that was left of the neon sign was 'FOR PEACE' and the globe. Hotel Internacionál was also located nearby."

Hotel Internacionál, in many ways a symbolic structure, was – and to a large extent still is – a showroom of Czechoslovak socialist realism of the 1950s. One of the reliefs on its exterior represents the working friendship of nations. Professors and students from the Academy of Arts, Architecture and Design created it around forty years before Machacek became a student at that school. Crowned with a two-hundred-and-fifty-kilogram red star, the hotel was the place where domestic bigwigs met with foreign guests. Paradoxically, for decades it was also the place to find some of the most subversive material in the grey reality of Soviet socialism – empty packets of Western cigarettes. (Adam's older brother, today also a designer, was already collecting empty pop

dehors du bloc de l'Est que la fascination de ces objets, pour les adultes comme les enfants, n'était pas uniquement liée à leur forme ou au matériel dans lequel ils étaient fabriqués – sur un marché socialiste qui ignorait tout de la concurrence et qui n'encourageait nullement les fabricants à se préoccuper de l'esthétique de leurs produits, rien n'égalait le classicisme chic des cannettes créées par Daniel F. Cudzik ni les paquets rigides de cigarettes, véritable produit de luxe – mais aussi, et surtout, à leur graphisme. Comme un album de timbres ou un voyage imaginaire tracé à la main sur une carte, les inscriptions illisibles des cannettes ou des paquets de cigarettes nous transportaient vers de mystérieuses utopies peuplées de formes sexy et brillantes. S'il n'y a pas vraiment matière, aujourd'hui, à se montrer reconnaissant envers les multinationales du tabac ou de l'industrie alimentaire, profitons néanmoins de l'occasion qui nous est donnée de les remercier pour ce qu'elles ont contribué à susciter chez Machacek et Welcometo.as.

Ceci est une entrée en matière, convenez-en ! N'avez-vous pas été touché par l'évocation de ce petit garçon qui a grandi derrière le Rideau de fer, lentement rongé par les bulles de Coca-Cola ? Mais rien de tout cela ne porta véritablement à conséquence : en définitive, c'était le globe du toit de l'université

cans, so the packets were left to Adam to claim). It is hard to explain to anyone who grew up outside the Eastern bloc, but what so fascinated both adults and children about these objects was not just the shape or material they were made of – in the socialist market, where competition was unknown and manufacturers had no motivation to make products more attractive, there was nothing like the light and elegant design of the classic Daniel F. Cudzik cans, and cigarettes offered in "hard" packets were regarded as a luxury – but also, and particularly, their graphic design. Like an album of postage stamps, or a journey traced by hand across a map, the alluring illegible markings on the cans or cigarette packets transported them away to mysterious utopias filled with shiny sexy shapes. There is little reason today to thank the tobacco industry or food conglomerates for anything, but let's take this opportunity to thank them for something on behalf of Machacek and Welcometo.as.

Well that was an impressive introduction, don't you think? Were you not touched by the image of a poor boy growing up behind the Iron Curtain, which Coca-Cola slowly but surely corroded away over time? But none

technique tchèque et non l'étoile (ou la paix) qui a véritablement compté. Machacek emménagea dans une vieille maison près du lac de Genève où, entre des créations pour une galerie d'art de la deuxième plus grande ville de la République tchèque et un théâtre suisse, il joue avec ses hélicoptères en plastique avec d'autres créateurs. Quant à Bohner, il resta chez lui pour en arriver à peu près au même stade.

Lorsque Machacek était au collège, le régime communiste était déjà tombé ; dès lors, affirmer que les paquets de cigarettes ont suscité sa vocation de graphiste et motivé sa décision d'étudier à la Rietveld Academie d'Amsterdam, puis de faire un stage au Studio Dumbar à La Haye serait aussi fantaisiste que prétendre que l'Hôtel Internacionál aurait plu aux Suisses en raison de son abri antiatomique dans lequel six cents personnes auraient pu survivre pendant deux semaines. Ce qui est sûr, c'est qu'Adam Machacek (1980) et Sébastien Bohner (1975) se sont rencontrés au Studio Dumbar en 2002. Machacek quitta presque immédiatement les Pays-Bas avec une bourse pour l'Ecal de Lausanne, où sa route croisa de nouveau celle de Bohner, qui, à cette époque, avait terminé ses études au Ravensburne College of Design and Communication de Londres et un stage à l'Atelier Pfund de Genève. (Quand j'écrivais que Sébastien Bohner resta chez lui, ce n'était pas tout à fait exact.) Comme il le souligne :

of what is written above may be of any consequence – it was the globe on the roof of the Czech Technical University, not the star (or peace), that was ultimately of greater significance. Machacek moved into an old house by Lake Geneva, where, between creating designs for an art gallery in the Czech Republic's second largest city and for a local Swiss theatre, he and other artists spend time racing toy helicopters. Bohner, on the other hand, stayed at home, and yet he turned out exactly the same way.

When Machacek was studying secondary school the communist regime had already fallen, so to claim that those cigarette packets were at the root of his decision to study graphic design and then go on to study at Rietveld Academie in Amsterdam and complete an internship at Studio Dumbar in The Hague would be as audacious a statement as claiming that Hotel Internacionál would probably have appealed to the Swiss because it used to have a nuclear bomb shelter with enough room for six hundred people to survive for two weeks. What is certain is that Adam Machacek (1980) met Sébastien Bohner (1975) at Studio Dumbar in 2002. Machacek left the Netherlands almost directly to take up a scholarship at Ecal in Lausanne, and there

« C'est à Londres, pendant mes études, et juste après, pendant mon stage au Studio Dumbar, que je me suis vraiment immergé dans d'autres cultures. En y repensant, je suis convaincu qu'étudier et travailler dans ces pays a élargi ma perspective du graphisme. » Et puisque les deux compères s'entendaient bien, ils créèrent ensemble Welcometo.as à Lausanne, en 2004. Deux Européens semblables à des millions, nourris aux « Simpsons », à Apple et à Kubrick, qui, bien qu'ayant grandi à des milliers de kilomètres l'un de l'autre, adoraient il y a peu de temps encore Kurt Cobain et Krist Novoselic[2]. Mais, à la différence de l'Hôtel Internacionál, qui, une fois absorbé par une chaîne internationale, vit son étoile repeinte en doré, son abri antiatomique transformé en vestiaire et les salons d'inspiration soviétique meublés de chaises passe-partout de facture internationale, Adam Machacek et Sébastien Bohner forment un duo transculturel dans lequel les deux moitiés sont complémentaires. Avec le dialogue pour méthode de travail.

Attardons-nous quelques instants sur les idées d'ouverture, d'internationalité, et poussons un peu notre exploration. Après tout, des graphistes qui écrivent « Welcome to Adam & Sébastien » sur leurs cartes de visite au lieu de leur paillasson doivent sûrement penser dans ces termes. Par ailleurs, le graphisme

he again ran into Bohner, who by that time had already completed studies at Ravensburne College of Design and Communication in London and an internship at Atelier Pfund in Geneva. (So when I said that Sébastien stayed at home, that wasn't quite the truth. As he points out: "The time I really immersed myself in other cultures was when I was studying in London and just after that during my internship at Dumbar. Looking back, I really think studying and working in those countries widened my perspective of graphic design.") And since the two of them got on well, in 2004 they founded Welcometo.as in Lausanne. Just two typical Europeans, weaned on "The Simpsons", Apple, and Kubrick, who, although they had grown up a thousand kilometres apart, until recently looked much like Kurt Cobain and Krist Novoselic[2]. But unlike Hotel Internacionál, which, once it became part of an international hotel chain, saw its star repainted gold, its shelter turned into a cloakroom, and the rooms in its Soviet-inspired spaces furnished with a faceless, global style of chairs, Adam and Sébastien have formed an international duo in which the two parts are complementary. Dialogue is their method of work.

est une invitation; c'est une autre modalité, plus sophistiquée, de ce que fait un chef lorsqu'il tente de vous appâter sur son menu avec des lasagnes. Il veut un peu de votre temps et de votre argent, et même si des compliments sur sa coupe de cheveux ou la qualité du service le toucheront, ce n'est pas ce qu'il vise en premier lieu. L'objectif est que vous appréciez ses lasagnes ou, dans le cas de Welcometo.as, le contenu du livre, du catalogue, de l'exposition ou de la performance en question, les plats qui figurent le plus souvent sur leur carte. Alors que certaines de leurs créations peuvent paraître sombres et sinueuses, débouchant après maints détours infinis dans des impasses contemplatives, la plupart sont chaleureuses et engageantes. Elles peuvent aussi, pour le même prix, vous offrir un peu de distraction, à la manière d'un jeu interactif ou d'une plaisanterie, ou vous suggérer un chemin auquel vous n'auriez pas pensé; mais, pour éviter toute ambiguïté, elles utilisent toujours plusieurs canaux pour transmettre leurs informations, afin que vous arriviez sain et sauf à bon port.

Même étudiant, Machacek entretenait une sorte de fascination pour les cartes et les jeux, cartes comme représentation mentale d'un espace projeté sur une surface bidimensionnelle, mais aussi comme système sous-jacent, plan de jeu, construction logique, règles du jeu. Lors de son stage au Studio

Let's explore the ideas of openness, internationality, and travel some more. After all, designers who write "Welcome to Adam & Sébastien" on their business cards instead of their doormat must be thinking in those terms. And design is an invitation; it is just a more sophisticated variation on what the restaurateur does when he tries to lure you in off the street for a lasagne. He's trying to win your time and your money, and while he'll be pleased if you compliment him on his haircut or his manners, that's not what he is after in the first place. The point is that you enjoy some lasagne, or – in the case of Welcometo.as – the content of the book, catalogue, exhibition, or performance in question, because those are the genres that they serve up most. And while some designs can be dark and devious, sending you off on endless detours and into contemplative dead ends, their designs are warm and inviting. They may offer you some kind of distraction along the way, like an interactive game or a joke, or propose a route that would not have occurred to you, but to avoid ambiguity they communicate their information along several channels at once to ensure that you arrive safely at the desired destination.

Najbrt, il conçut pour le rapport annuel d'Agropol, une entreprise agricole tchèque, un paquet cadeau avec une version personnalisée du jeu « Trouble », qui, comme l'explique le critique de graphisme Rick Poynor, devait sûrement être la dernière chose que les actionnaires pensaient recevoir, mais qui fut accueilli favorablement, au point qu'Agropol s'attendait ensuite à ces suppléments ludiques. Étudiant à l'Ecal, Machacek devait concevoir un livre consacré à un sport ; il opta pour la course d'orientation, qu'il pratiquait enfant. Pour la couverture du livre, il choisit une carte. En 2004, Bohner et Machacek travaillèrent sur un guide touristique pour le village de Cernošice en République tchèque. On trouve même une carte (ainsi qu'une jonction d'autoroute) sur la couverture de catalogue que Machacek créa lors de sa collaboration chez Chronicle Books à San Francisco, en 2006. Pour Wikipedia, la cartographie s'entend comme « une combinaison d'aspects scientifiques, esthétiques et techniques visant à créer une représentation équilibrée et lisible capable de transmettre rapidement et efficacement des informations ». Cette définition pourrait également s'appliquer au graphiste.

Les programmes conçus par Welcometo.as pour le théâtre de Vevey sont des poèmes à eux seuls. Vevey, petite ville sur les bords du lac de Genève, à environ vingt kilomètres de Lausanne, ne possède

Even when he was a student, two basic features in Machacek's work were maps and games. Here I mean maps in the sense of the mental apprehension of space projected onto a two-dimensional surface, but also in the sense of an underlying system, a game plan, a logical framework, and rules of play and variation. When he was on an internship at Studio Najbrt he designed the annual report for Agropol, a Czech agricultural firm, as a gift-box containing a customised version of the board game "Trouble", which, as the design critic Rick Poynor described it, "must have been the last thing that shareholders expected to receive, yet these novelties seem to have found an appreciative audience and Agropol has come to expect the playful extras." While at Ecal, Machacek had to create a book about a sport, so he chose orienteering, which he had practised as a child. He designed the cover of the book – surprisingly – as a map. In 2004 Bohner and Machacek worked on a tourist guide and map of the village of Cernošice in the Czech Republic. There is even a map (and a motorway intersection) on the catalogue cover that Machacek designed while on a design fellowship at Chronicle Books in San Francisco in 2006. Wikipedia defines cartography as combining "science, aesthetics,

pas de compagnie permanente, mais accueille des compagnies provenant de différents coins du globe. Les représentations constituent une attraction touristique pour le public comme pour les artistes. Quel sujet croyez-vous qu'Adam Machacek et Sébastien Bohner choisirent pour leur premier programme qu'ils conçurent pour le théâtre, en 2003 ? Gagné ! Une carte. Ils répartirent spatialement les dates des représentations, affectant à chacune un endroit sur la carte recouverte de pictogrammes numériques humoristiques. Ce n'était pas tout. Ils imprimèrent également un petit guide de poche de la saison théâtrale suivant le principe généralement utilisé pour indiquer la distance entre des villes. À ce stade, le graphisme n'était plus un petit jeu sans conséquence et les femmes qui n'arrivaient pas à lire ces cartes durent probablement renvoyer leurs places. Mais notre binôme persista et signa. Pour l'intérieur de la brochure, Bohner et Machacek utilisèrent des photographies fournies par le théâtre, les réduisirent à leur plus petit commun dénominateur, à savoir des images noir et blanc avec du grain, et en placèrent une de chaque série dans la moitié inférieure de la page accompagnant le descriptif de la représentation, réservant la moitié supérieure à un cliché de la vie quotidienne à Vevey. « Ce théâtre est ancré dans la vie locale et son public reconnaît les endroits présentés sur les photos. Après lecture du descriptif

and technical ability to create a balanced and readable representation that is capable of communicating information effectively and quickly", and this achievement is also what defines a good graphic designer.

The series of programmes Welcometo.as created for Vevey Theatre are then an odyssey in their own right. Vevey is a small town on Lake Geneva, around twenty kilometres from Lausanne. The town theatre does not have a permanent company, and instead it hosts theatrical companies that come to town on tour from various parts of the globe. That said, these performances are a tourist experience for both the audience and the performers. And what do you suppose Adam and Sébastien did with the very first programme they created for the theatre in 2003? They created a map. They distributed the schedule of performances across an area of space, assigning each show a spot on a map covered with humorous digital pictograms. And that wasn't all. They also printed a pocket-sized quick guide to the season based on the same principle that is normally used to indicate the distances between cities. By this point the design was no longer *un petit jeu sans conséquence*, and any women convinced they can't read a map probably returned their season tickets. But the young men went further. For

de la pièce, les gens sont en mesure de saisir le lien entre les deux. » Le résultat est un jeu sur l'ennui suscité par un endroit que viennent transfigurer les visiteurs (Machacek et Bohner compris) par leurs performances.

Dès lors, nous pouvons laisser de côté l'élément systématiquement mis en exergue dans les ouvrages consacrés à des graphistes ; ces généralités sur la façon dont tel ou tel graphiste suit « une logique interne par rapport à un problème donné, tout en imaginant une solution qui s'impose d'elle-même ». Chez un bon graphiste, ce n'est pas un accomplissement, c'est un prérequis. Les créations de Welcometo.as sont toujours fermement ancrées dans un concept, et cela reste vrai même si vous n'êtes pas l'une des seize mille âmes de Vevey. Vous trouverez peut-être que ces instantanés constituent une forme d'ornementation assez curieuse, mais pour Welcometo.as, la forme est tout aussi importante que la fonction. L'un des atouts de ce jeune studio est sans conteste sa liberté et sa spontanéité, dues probablement à l'absence de longue histoire ou d'ancrage dans un réseau social; après tout, ces deux jeunes hommes ne sont quasiment tenus par aucun engagement et, pour travailler, n'ont besoin de rien d'autre qu'un ordinateur. « À la base, nous restons deux indépendants. Nous nous impliquons

the inside of the brochure they took the photographs of performances provided to them by the theatre, reduced them to their least common denominator as grainy, black-and-white images, and placed one from each show in the bottom half of the page accompanying the description of the performance, reserving the top half of the page for a different snapshot of everyday life in Vevey. "This theatre is local, and the people who go there recognise places in the pictures we took. After reading the text about the play, people may see the connection." The effect is a play on the dullness of a place made fresh by visitors through their performances.

With that we can leave behind the one thing that every author writing about designers highlights. All the talk about how this designer or that designer follows "an internal logic to a given problem, while seeking out a solution that 'selects itself'". But with a good designer, that isn't success, it's a prerequisite. The designs by Welcometo.as are always firmly grounded in a concept, and this is true even though if you aren't one of the sixteen thousand residents of Vevey you might find the snapshots a curious form of decoration. But for Welcometo.as form is just as important as function. It is a young studio, and one of its assets is how free and

totalement dans la totalité du processus, du premier rendez-vous avec l'auteur jusqu'à l'impression. » Nous ne leur décernons nullement un oscar pour l'ensemble de leur carrière, celle-ci n'en étant qu'à ses prémices, mais ce n'est pas un hasard si, lors de sa collaboration chez Chronicle Books, Adam Machacek se vit confier la création de la couverture d'un livre consacré au *streetwear*. Nous vivons une époque où des formes massives comme celles qui animent le graphisme ont besoin d'être re-dynamisées par une impulsion créative venue du dessous. Welcometo.as a un sens de l'esthétique vernaculaire, tout en respectant les principes de la tradition européenne de la modération. Il puise son énergie dans la rue pour l'insuffler aux courants traditionnels du graphisme. Leurs idées de maquette restent traditionnelles, modernistes en leur cœur, mais se voient enrichies grâce à des images et des outils contemporains. Regardez la couverture de *Streetwear* : trait vigoureux et spontané, mais aussi plus contrôlé et logique que les pulsions viscérales des skateboarders.

« Lorsqu'on travaillait sur le catalogue d'une exposition sur le rock et son impact sur la culture visuelle des années 1960, on a commencé à écouter du rock psychédélique. On a passé des heures avec le créateur de l'exposition, à toucher, sentir et sélectionner tous les éléments qui allaient faire partie

unconstrained it appears to be, owing to the absence of a long history or an anchoring in any social network – after all, these are two young men who have almost no commitments to tie them down and need nothing more than a computer to work with. "We are basically two freelancers. We are fully involved in the whole process, from the first meeting with the author through to the printing process." We're not giving them a lifetime achievement award here; most of their work is still fresh and new. So it is fitting that during his fellowship at Chronicle Books Adam Machacek was asked to create the cover of a book on streetwear. Now is a time when sluggish forms like graphic design need to be revived with a creative impulse from below. Welcometo.as have a feeling for vernacular aesthetics, and yet they respect the principles of the European tradition of moderation. They take the energy of the street and add it to the ground map of good old graphic design. Their ideas about layout remain traditional, modernist at heart, but are enriched with contemporary images and tools. Look at the cover of *Streetwear*: vigorous and spontaneous, but at the same time much more controlled and logical than the visceral urges of skateboarders.

de l'exposition : affiches, pochettes de disques, livres, magazines, objets. Dans cet endroit, au milieu de cette collection immense, on avait l'impression d'être dans une bibliothèque fantastique, avec un magicien qui savait tout de cette époque, puisque c'était la sienne. Et je crois qu'il nous avait choisis justement parce que nous sommes des jeunes d'aujourd'hui. Comment représenter visuellement, dans un langage contemporain, une époque aussi forte que les années 1960 ? » Les visuels de l'exposition intitulée *The Pope Smoked Dope: Rock Music and the Alternative Visual Culture of the 1960s* sont révélateurs du style de Welcometo.as : la relecture d'une époque par des personnes dépourvues de toute nostalgie et vivant dans une société où les symboles de la contre-culture des années 1960 sont régulièrement réutilisés à des fins mercantiles par des publicitaires. Mais c'est également une époque où, dans les démocraties actuelles, l'individu moyen a plus d'outils et d'occasions favorables que les révolutionnaires de l'époque pour s'engager dans le débat public et changer le monde. Création qui émane d'une génération qui ne ressent plus de contradictions aussi fortes entre les institutions et les milieux avant-gardistes. De même, sur la couverture du programme de la saison 2005-2006 du théâtre de Vevey, le mot « théâtre » s'étale en lettres orange vif par-dessus le patchwork des illustrations en noir

"When we were working on the catalogue for an exhibition about rock music and its impact on the visual culture of the 1960s, our studio playlist began to change and we began listening to psychedelic rock. We spent hours with the author of the exhibition – touching, smelling, and selecting all the exhibits to be included in the catalogue: posters, LP covers, books, magazines, objects. Being in his house, surrounded by his enormous collection, felt to us like being in a magic library, with a magic librarian, naturally, because the curator had been young in the sixties and he knew everything about it. And I think he chose us to design the publication because we are young now. How can I visually represent an era as strong as the 1960s in contemporary language?" The visuals for the exhibition *The Pope Smoked Dope: Rock Music and the Alternative Visual Culture of the 1960s* are crucial to the style of Welcometo.as. They are a redesign of a particular era created by people devoid of nostalgia and living in a time when the former symbols of the rebel counter-culture of the 1960s are used regularly by advertisers in the corporate world for the purpose of selling goods and services. But this is also a time when the average person in today's democracies has more tools and opportunities for engaging in

et blanc à l'allure enfantine de Bohner. L'association d'éléments modernes et traditionnels reflète notre désir conjoint de perfection et d'émotion; l'implacabilité du code numérique doit être contrebalancée par l'utopie, la naïveté et la sagesse de l'enfance. La dimension artisanale est ici un moyen, non une nécessité; l'improvisation symbolise le jeu, l'authenticité et la légèreté. Recherche des illusions perdues d'une génération qui, plus que tout autre, est consciente de la souffrance de l'humanité tout en l'ayant moins expérimentée que les autres. Dans ce type de travail, l'émotion semble au moins prendre le pas sur la raison, et des surfaces, des pleins et des déliés malicieux inondés de couleur conquièrent la rigueur de la géométrie et des grilles, dans une sorte de défense à ce que la découverte de l'ADN a fait à l'amour. Le monde d'aujourd'hui recèle ce niveau d'ambivalence et d'incertitude, pluralité de systèmes de valeurs, d'orientations sociales et de forces poussant simultanément vers une plus grande homogénéité et une plus grande fragmentation ou encore vers une centralisation globale et locale. Suppression de la frontière entre consommateur et producteur, penchant à l'irritation et l'hybride : ces tendances sont aujourd'hui universelles. C'est également, en définitive, la clé de la sauvagerie typographique prévalant dans le dernier programme du théâtre de Vevey, créé sous forme d'affiche. L'orgie

public debate and for changing the world than the revolutionaries did then. It is a design by a generation that no longer experiences as strong a divide between the underground and the establishment. Similarly, on the cover of the programme for the 2005-2006 season of Vevey Theatre, the word "*théâtre*" is spelled out in Pantone bright orange letters across the chaos of Bohner's child-like black-and-white illustrations. The combination of high- and low-tech increasingly mimics our longing for perfection and emotion at once; the relentlessness of the digital code must be counterbalanced by the utopia of childhood, naivety, and winsomeness. DIY is here a stylistic medium, not a necessity, and improvisation symbolises play, authenticity, and levity. Let's call it a search for lost illusions by a generation that is more aware of suffering than any other generation in the history of humanity and has experienced it less than any other generation. In such works emotion at least appears to conquer reason, and whimsical organic curves and rounds and surfaces awash with colour conquer the rigour of geometry and grids, all in defence against what the discovery of DNA has done to love. The nature of the world today is this kind of ambivalence and uncertainty, a plurality of value systems and social orientations, and

visuelle initiale commence seulement à prendre un sens quand on tourne la page de droite du pro-gramme. Plusieurs options sont possibles et c'est à chacun de décider où tourner la page. « En général, on réinvente les règles à chaque projet. Exception faite, peut-être, des couvertures. On les crée après l'intérieur, en réponse à celui-ci », déclare Welcometo.as. À quoi ressemble la couverture de ce livre? Je ne sais pas; vous, si. Malheureusement, il ne s'agira ni de paquets de cigarettes ni de cannettes, ni même de l'école idéale qu'Adam Machacek avait créé dans son projet Network, et où la classe avait lieu dans la rue : l'école avait un bus qui conduisait les élèves et abritait une exposition de leur travail. Mais ce que j'aimerais voir un jour, c'est Welcometo.as créer un hôtel. Je serai curieux de voir avec quels types de reliefs ils décoreraient la façade et à quoi ressemblerait la carte disponible à la réception. Je devrais probablement poser la même question que Sébastien Bohner après sa première rencontre avec le « graphisme » : « Quand j'avais dix ans, je passais des heures à dessiner des personnages de bande dessinée avec mon voisin. J'ai souvenir que ses dessins étaient bien meilleurs que les miens, beaucoup plus graphiques; il avait un style que je ne parvenais pas à imiter. Alors que mes personnages

forces pushing simultaneously towards greater homogeneity and greater fragmentation or towards a global and a local focus. Erasing the line between consumer and producer, a penchant for irritation and hybrid, these tendencies are universal today. It is also and finally the key to the typographic wilderness in the most recent programme for Vevey Theatre, which was wrapped up in a poster. The initial visual orgy it presents begins to make sense only when you turn the right page of the programme. There are several options and it's only up to you where you turn.

"In general, we create the rules with each project. Except maybe for the covers. We design them after the inside is done, in response to it," say Welcometo.as. So what is on the cover of this book? I don't know, but you do. Unfortunately, it won't be ciggies or cans, or even the ideal school that Adam designed in his Network project, where classes took place on the road: the school had a bus, which travelled with the students and an exhibition of their work. But what I would most like to see Welcometo.as create some day is a hotel. I would be interested in seeing what kind of reliefs they would put on the façade and what the

étaient trop sophistiqués et que leurs proportions étaient mauvaises, les siens étaient simples et équili-
brés ; il avait un trait très sûr. J'étais vraiment admiratif de son talent et je me souviens m'être demandé
comment il voyait le monde pour dessiner de cette façon… »

Michal Nanoru
Ancien rédacteur en chef des magazines
praguois *Zivel* et *Hype* et co-éditeur du livre
Studio Najbrt: Life Happiness Surprise.
Il vit actuellement à New York.

1. Ndt : Le KSC était le parti communiste tchécoslovaque
2. Les membres du groupe Nirvana amis d'enfance

map on the reception counter would look like. I would probably have to ask the question Sébastien asked
after his first encounter with "design": "When I was around ten, I spent hours drawing cartoons with my
neighbour. I remember his drawings were far better than mine, much more graphic, he had a style I couldn't
imitate. While my characters were too complicated and out of proportion, his were simple and balanced, he
possessed a very sure line. I was admiring his talent, and I remember I asked myself, how does he see the
world in order to draw like that?"

Michal Nanoru
Former editor in chief of Prague's only style
magazines, *Zivel* and *Hype* and co-editor of
Studio Najbrt: Life Happiness Surprise.
He currently lives in New York City.

1. KSC was the Czechoslovak Communist Party – translator's note
2. Nirvana band members who were childhood friends

Network est un concept d'écoles de design fonctionnant en réseau. Les étudiants de Network peuvent chaque année aller suivre des cours dans une ville européenne différente. Ceux qui le souhaitent peuvent suivre un programme de quatre ans dans quatre lieux et atmosphères différents. Le livre richement illustré explique le fonctionnement de Network et regroupe des interviews des professeurs de design Linda van Deursen (Rietveld Academie, Amsterdam), Dimitri Bruni (Ecal, Lausanne) et Rostislav Vanek (Académie d'art, d'architecture et de design, Prague). Collaborateur : Mikulas Machacek.

Network is a concept of school for designers. It works as a net of interconnected schools in several European cities. As a student of Network, each year you attend courses somewhere else. Every enthusiast faces an intensive four-year programme in four locations and atmospheres. The book consists of illustrations showing the network system and interviews with design teachers Linda van Deursen (Rietveld Academie, Amsterdam), Dimitri Bruni (Ecal, Lausanne) and Rostislav Vanek (Academy of Arts, Architecture and Design, Prague). Project collaborator: Mikulas Machacek.

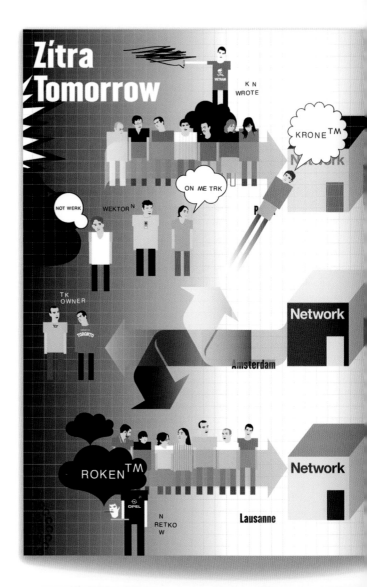

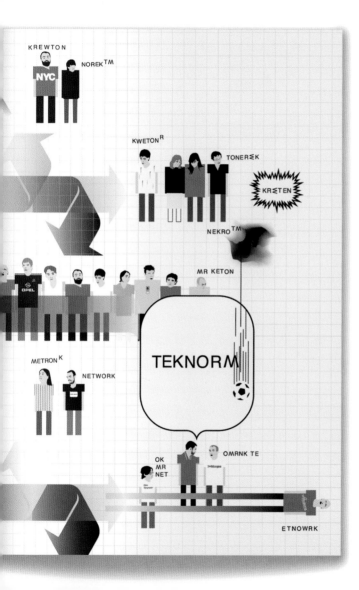

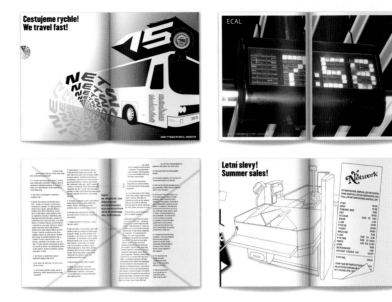

Dnešní Černošice tvoří dvě původně samostatné obce – Horní Černošice a Dolní Mokropsy (spojeny roku 1950), ke kterým vždy patřila bývala samota Vráž. Horní Černošice se rozkládají ve stráních nad údolím, zatímco Dolní Mokropsy leží spíše kolem řeky. Obě části byly však průběžně zástavbou propojeny v jeden celek.

Archeologické průzkumy poukazují na relativně husté pravěké osídlení celé oblasti, datace původu obou obcí však není zcela zřejmá. První písemné zmínky se objevují ve středověkých listinách: o Mokropsech roku 1088 v listině krále Vratislava II., jíž vyšehradským kanovníkům daroval dvoje popluží a dva rybáře z Mokropes, o Černošicích v listině z roku 1115, které jsou zmiňovány jako majetek Kladrubského kláštera. Bylo však prokázáno, že obě listiny jsou pozdější středověká falza. Přesnější údaje jsou známy až od 13. století. Tehdy patřily Mokropsy Klášteru sv. Jiří na Pražském hradě a po husitských válkách se střídaly v majetku šlechty, až byly v roce 1638 postoupeny Zbraslavskému klášteru. Černošice k zbraslavskému panství, které se stalo královským loveckým dvorem, připojil král Přemysl Otakar II. Když jeho syn král Václav II. roku 1292 na Zbraslavi založil cisterciácký klášter, daroval mu i Černošice. V majetku zbraslavských cisterciáků zůstaly s výjimkou období husitských válek až do josefinských reforem. Po zrušení kláštera v roce 1785 převzal panství Zbraslav i s Černošicemi a Mokropsy Královský náboženský fond, od kterého panství roku 1825 zakoupil bavorský kníže Bedřich Oettingen-Wallerstein. V roce 1910 se velká část polesí stala majetkem průmyslníka Cyrila Bartoně z Dobenína. Až do druhé poloviny 19. století měly obě osady zemědělský charakter s tradicí řemeslné výroby proutěného zboží.

Historické pohlednice Černošic. Pohled z Horky ve 20. letech 20. století. Vlevo: pohled ze Slánkovy před 1. světovou válkou.

historie a současnost

Guide touristique du village de Cernošice, République tchèque. Grâce au plan dépliable inclus dans la couverture, le lecteur peut aisément localiser les sites dignes d'intérêt. À noter qu'un style graphique différent est employé pour chaque rubrique : architecture, personnages célèbres, histoire, visites guidées, etc.

A tourist guide for the village of Cernosice, Czech Republic. Thanks to the attached folded map, the reader can locate hotspots while flipping the pages. Different graphic styles are used for the hotspot sections: architecture, famous inhabitants, history, village tour, etc.

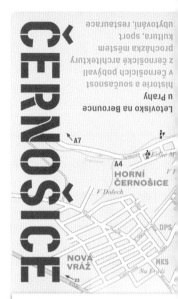

ČERNOŠICE

ubytování, restaurace
kultura, sport
procházka městem
z černošické architektury
v Černošicích pobývali
historie a současnost
u Prahy
Letovisko na Berounce

A7

HORNÍ ČERNOŠICE

A4

V Dolech

DPS

NOVÁ VRÁŽ

MKS

Na Vráži

procházka městem

Půjdeme-li od Slánky ulicí Komenského, procházíme historickou pražsko-bechyňskou cestou, která vedla od brdských hřebenů přes Mokropsy dále na Třebotov. Vystoupáme ke kostelu na bývalou náves, kde byl v roce 1936 vztyčen pomník padlým ve světové válce. Kostel Nanebevzetí Pany Marie – ? je nejstarší dochovanou stavební městskou památkou. Poprvé je zmiňován v roce 1352 jako farní kostel. Patřil zbraslavským cisterciákům, kteří ho nechali na začátku století přestavět do barokní podoby. Jeden s pravoúhlým presbytářem je spojeno přes s představující věží, dominantou kostela. Další úpravy byly provedeny v 19. a 20. sto Poslední stavební zásah je z roku 1984, k byla postavena nová sakristie. Interiéru dominuje hlavní barokní oltář s obrazem Nanebevzetí Panny Marie a sochami slovanských věrozvěstů po stranách. Vyn akustické podmínky kostela jsou dodnes vyuvány při koncertech. Za kostelem by v 19. století založen hřbitov—B, kde jsou pochovány některé významné osobnosti. Výhled na kostel a okolní kopce poskytuje protější terasa restaurace Pod lesem.

Poměrně prudké svahy kopce Horka nad kostelem pokrývá typická černošická vilová zástavba. Parcelace pozemků zde započala těsně před první světovou válkou. První stavby podél ulic Jansova a Waldhauserova nechal stavět známý knihkupec a nakladatel Antonín Reinwart. Státní podpora ve 20. letech však poskytovala stavební možnosti i méně majetným, kteří pak často část svých domů pronajímali jako letní byt.

V Černošicích pobývali i mnozí
významní vědci a umělci. Mezi nimi:

ZL

Zdeněk Lhota (1896 – 1926)
právník, jeden z prvních českých
civilních letců a průkopník
československého letectví. Patron
černošického Model klubu.

Václav Jansa (1859 – 1913),
malíř, krajinář a vedutista,
který dokumentoval městské
uměleckohistorické památky.
Na obraze kostel v Černošicích.

Pavel Štecha (1944 – 2004)
fotograf zaměřený především na
dokumentární a architektonickou
fotografii, vysokoškolský
pedagog. Fotografoval mj.
i černošickou architekturu.

PŠ

Jan F. Langhans (1851 – 1919)
fotograf portrétista, zakladatel
známého fotoateliéru ve
Vodičkově ulici v Praze.

JL

Marie Fišerová-Kvěchová (1892 – 19
malířka a ilustrátorka knih pro dě

MFK

JB

Josef Bláha (1842 – 1923)
pomolog, vyšlechtil odrůdy
Bláhovo jablko
a Černošická švestka.

ati Horky procházíme Poštovní ulicí kolem
–9. Dům projektoval v roce 1931 architekt
av Fröhlich, syn Františka Fröhlicha (viz
ernošické vily) a žák Jana Kotěry, jako
, poštovní a telegrafní úřad. O něco dále, ve
rové ulici, realizoval Sokolovnu s kinem—10.
e zde při Sokolovně provozuje Club kino, kde
ne i dobře povečeřet.

Fügnerovou ulicí sejdeme na
Karlštejnskou. Vede ven z města a stojí
na ní několik dalších významných
staveb. Při pohledu vzhůru uvidíme nad
domy vyčnívat památný chráněný
cedr atlantský—11 (Cedrus atlantica),
starý 65 let s obvodem kmene dva metry
(ulice V Mýtě).

ARTISTS
FOR TICHÝ
—
TICHÝ FOR
ARTISTS

redakce / edited by
Adik Hoesle a / and
Roman Buxbaum

ARNULF RAINER, 1977
vyměněno / exchanged 1992
Tichý podzich / A Silent Groan
1992
27 x 20 cm
přemalovaná stránka katalogu /
overpainted catalogue page

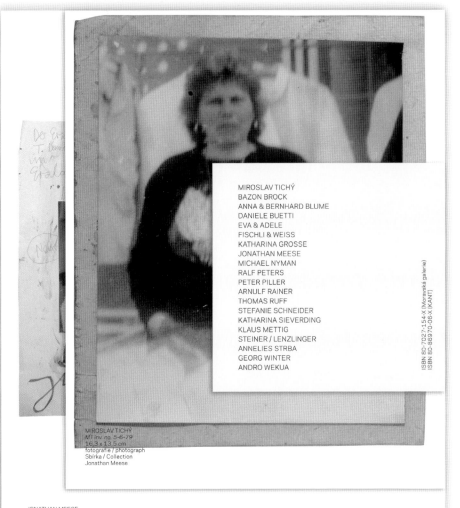

MIROSLAV TICHÝ
BAZON BROCK
ANNA & BERNHARD BLUME
DANIELE BUETTI
EVA & ADELE
FISCHLI & WEISS
KATHARINA GROSSE
JONATHAN MEESE
MICHAEL NYMAN
RALF PETERS
PETER PILLER
ARNULF RAINER
THOMAS RUFF
STEFANIE SCHNEIDER
KATHARINA SIEVERDING
KLAUS METTIG
STEINER / LENZLINGER
ANNELIES STRBA
GEORG WINTER
ANDRO WEKUA

ISBN 80-7027-154-X (Moravská galerie)
ISBN 80-86970-06-X (KANT)

MIROSLAV TICHÝ
MT inv. no. 5-6-79
16,3 x 13,5 cm
fotografie / photograph
Sbírka / Collection
Jonathan Meese

JONATHAN MEESE
vyměněno / exchanged 2006
Bez názvu / No Title, 2006
42 x 59,4 cm
olej a kombinovaná technika
na kartonu / oil and mixed
media on cardboard

which to regulate this agreement, much in the manner of Tichý himself we have chosen a manner of transaction which is practically anarchic, our reason being to promote a freedom and economy of movement. There are no restrictions and no mechanisms which might tarnish the joy in and the view of the object of exchange. Aesthetic perception only is of decisive import. The works which the artists offer for exchange come into the possession of the Foundation Tichý ocean, and they are made accessible to the public through exhibitions, salons and other cultural and artistic events. By those means, little by little the works of Tichý Foundation are distributed, transferred and integrated into a wider scheme of things. If the 2:1 exchange relation (i. e. two Tichýs for one work by another artist) were applied for each transaction, it would only be a matter of time before Tichý's entire body of work found itself in the hands of artists. The complete exchange of Tichý's oeuvre would bring into the Foundation a body of rare work of half the number of items; this is very much in tune with our retrograde thinking. The artists involved would have doubled the number of works in their possession, and distribution would have ensured the penetration of quality.

Harald Szeemann gave this project further support when – in 2004 – he gave a first exhibition of Tichý photographs at the Biennale in Seville. As a consequence, artists including Stuchie Cahn, Erwin Wurm, Ernesto Neto and Michael Nyman expressed themselves keen to meet the artist – who by this time was almost eighty – and also to see more of his work. Annalies Strba had sought Tichý out in Brno as early as 1990. Jonathan Meese, meanwhile, is fascinated by Miroslav Tichý as a personality.

Let us remember once more.
For about thirty years Tichý took photographs obsessively, so that by the early 1990s he had produced an incredible 20,000 pictures. But in fact he had produced double this figure when one considers a similar number made by the reversal of the outlook in the mind of the observer – which gives us more than 40,000 pictures. Most of these photos have been lost, destroyed, have surrendered to decay. Only a modest remainder has been "secured". The thematizing of distribution and withdrawal of a reception for part of the work by making it available for exchange serves here for re-calibration and safeguarding within the scheme of business.

In the midst of these remarks, still there exists – like a paradox admitting of no solution – the knowledge of a will out there in figure which would deny itself and its work. Perhaps in opposition to this there is a responsibility and a necessity to safeguard and make accessible to a wider public the work – and the celebrated strategy, too – of Miroslav Tichý. Without, however, creating for him the status of cult. This attempt to make the work of Tichý accessible he himself would describe "pure speculation".

Adi Hoesle

BERCA STEENER / JÖRG STADLANDER
výměnka / exchange 2004
Modří Host / Lichtrecie, 2005
80 x 70 cm
material: müslin knih / oak, crystals,
neleštěné podní materiál /
material: Development of a monkey,
crystal, artificial plant

MIROSLAV TICHÝ
bit material / exchange
(4. d. material)
Foundation Tichý ocean

DANIELE BUETTI
výměnka / exchange 2006
Hledání lásky / Looking for Love
realizóna c. / format nr. 37
2004 / 2005,
47 x 110 cm
scambio / assemblage

Les Rencontres photographiques d'Arles 2005 révèlent l'œuvre du photographe tchèque Miroslav Tichy alors âgé de soixante-dix-neuf ans. Prises avec un appareil de fabrication artisanale, ses photos ont depuis fait le tour du monde. « Artists For Tichy/Tichy For Artists » est un projet regroupant une sélection d'œuvres d'art contemporain et des photos de Tichy.

Czech photographer Miroslav Tichy was discovered at the 2005 Rencontres Photographiques in Arles, at the age of 79. Since then his original photographs, taken with a home-made camera, have toured the world. "Artists for Tichy / Tichy for Artists" is a project that shows a collection of contemporary art alongside Tichy's photographs.

GEORG WINTER
synthério / exchanged (2000)
Ukyo camera, 2005
170 x 90 cm
dhere, fat, elastic / wood, varnish, tripod

MILAN HOUSER

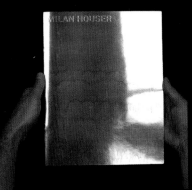

Catalogue-rétrospective de l'œuvre de l'artiste Milan Houser. La lumière jouant un rôle essentiel dans ses œuvres, toiles ou objets, mêlant les couleurs nacrées et les matériaux synthétiques brillants, les reproductions ont été réalisées sur du papier extrabrillant. Un papier offset fin sert de support au texte et aux photographies.

A retrospective catalogue of the work of artist Milan Houser. Light plays an important role in his paintings and objects, which often use nacre colours and hi-tech glossy materials. Therefore the reproductions are printed on very glossy paper, with the essays and documentary photographs on thin offset paper.

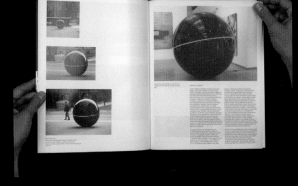

milan houser | litky | 28. 2. — 16. 4. 2008

vernisáž 27. 2. v 18.00 h, vystoupí akkamiau + the ozone hotel

btto, radnická 4, brno, po—pá 10—18 h, středa volný vstup

www.kultura—brno.cz

MILAN HOUSER "LITKY"
EXHIBITION POSTER
70 x 100 CM, SCREEN PRINT
FEBRUARY 2008

AFFICHE POUR L'EXPOSITION
DE MILAN HOUSER « LITKY »
70 x 100 CM, SÉRIGRAPHIE
FÉVRIER 2008

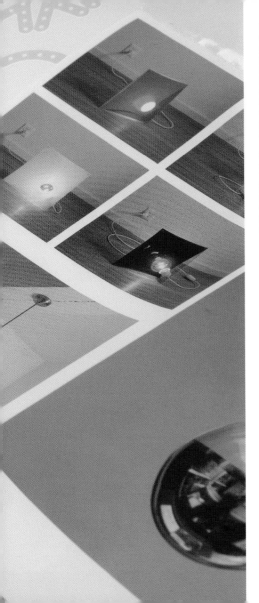

Oloom est un studio spécialisé dans le design d'intérieur et l'architecture. Les designers produisent et vendent également leurs propres produits. L'identité visuelle est fondée sur le fameux jeu tchèque de construction en kit Merkur. Les pièces en métal perforés de ce jeu – qui peuvent être assemblés de maintes façons – nous ont fait penser au processus créatif d'Oloom. Nous avons construit nos illustrations avec des éléments de la typographie Merkur dessinée par Marek Pistora en 1995. L'affiche, sérigraphiée sur différents types de papiers, a également servi de patron pour les entêtes de lettre et les cartes de visite.

Oloom is a group of designers involved in interior design and architecture. They also produce and sell their own products. The visual identity is based on elements from legendary metal kit toy Merkur. Playing with its perforated metal pieces – that can be joined in any shape – reminded us of Oloom's creative process. We built our illustrations with parts of the Merkur typeface designed by Marek Pistora in 1995. The poster, screen printed on different stock of paper, was also cut into letterheads and business cards.

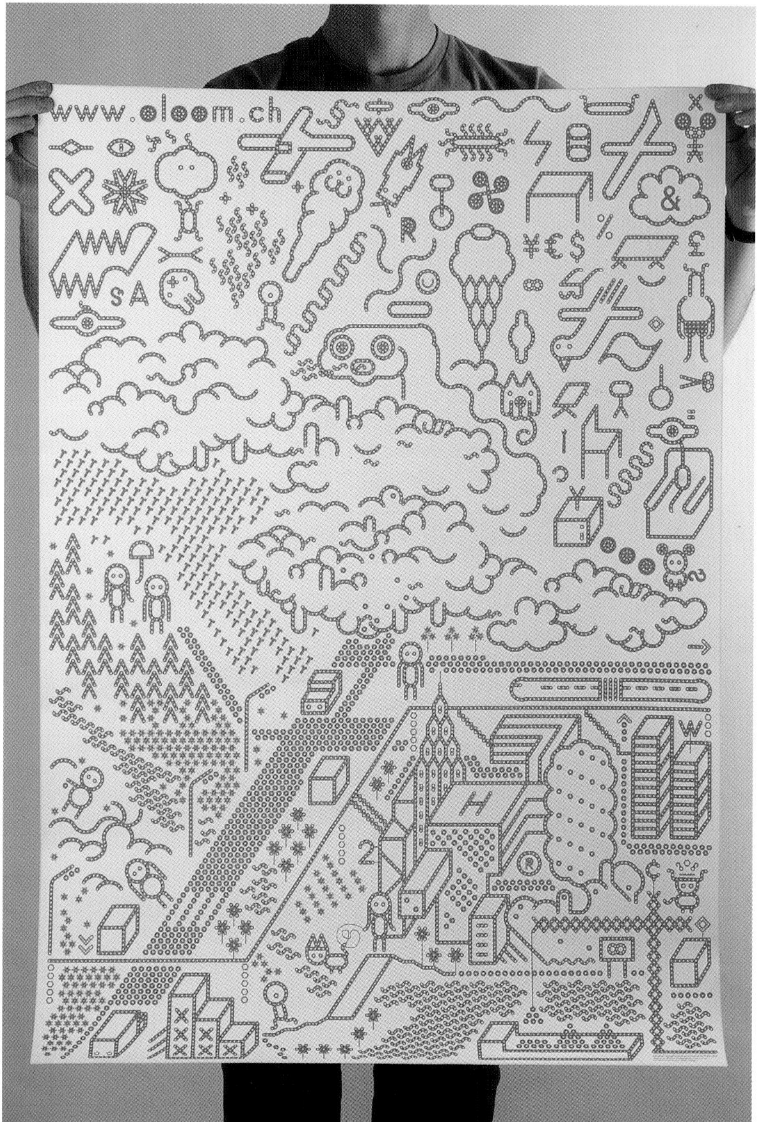
www.oloom.ch
SA

designergußisap / 068 / WELCOMETO.AS

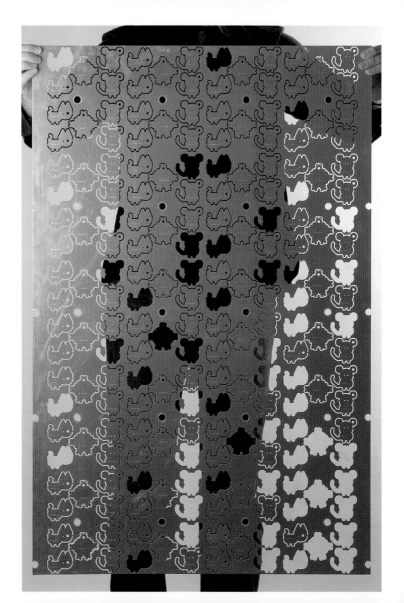

Catalogue d'une collection privée d'œuvres contemporaines tchèques et slovaques. Il s'agit d'une édition limitée à cent exemplaires, chacun présenté dans un coffret incluant également en « extra » les réalisations d'une dizaine d'artistes. L'affiche est la reproduction d'une œuvre tirée de la collection intitulée « The Collectors: Live Re-edit ». On y voit les propriétaires de la collection, les frères Marek, des jumeaux dont l'un, Zdenek, est PDG d'une agence de voyage et l'autre, Ivo, est dentiste. L'oiseau qui chante représente le conservateur de l'exposition, M. Birdie. À l'arrière-plan, le jars représente son assistant M. Gander (Ndt : « gander » signifie « jars » en anglais). La scène est présentée comme vue à travers un crâne.

Catalogue for a private collection of contemporary Czech and Slovak art. Along with the book, a limited edition of 100 catalogues in a special box including extras from 10 artists was produced. The poster promotes an exhibition of work from the collection, entitled "The Collectors: Live Re-edit". It shows the collection owners, the Marek twins, in their real professions: Zdenek as CEO of his travel agency, Ivo as a dentist. The singing bird symbolises the exhibition's curator, Mr. Birdie. A gander on the back represents the collection assistant, Mr. Gander (all names are real). The whole scene is viewed through a viewer's skull.

MAREK

Sbírka současného
českého a slovenského
výtvarného umění

A Collection of
Contemporary Czech
and Slovak Art

ISBN
978-80-254-0152-1

MAREK

Sbírka současného
českého a slovenského
výtvarného umění

A Collection of
Contemporary Czech
and Slovak Art

ISBN
978-80-254-0152-1

Kramerik
Glukem

Lediy Gottová
CD, video, also Zuko, music: Hina

Anezka Gottová, Jacek Hošek
Photos, Zvratio

Matěj Smetana
Dublex

Jiří Skála
Hřebská Concert round 2004

Tomáš Svoboda
Měna

Tomáš Vaněk
Zhuia

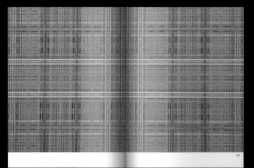

Jedna se o fotografie zvětšených pozorování na objektech těchto autorů.

The photographs show enlarged images of damage done to objects by these authors.

Donald Judd

Sol LeWitt

John McCracken

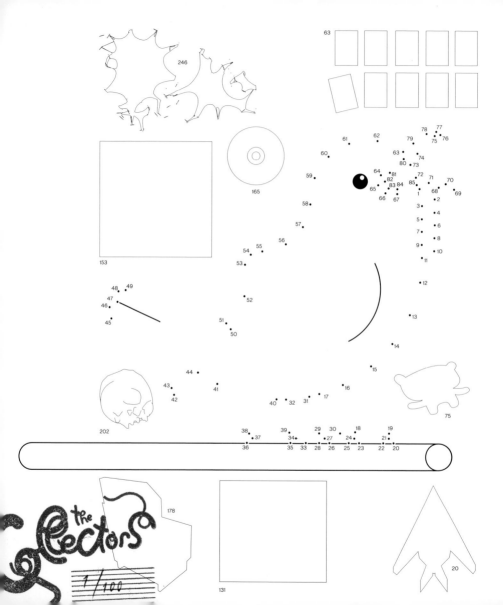

Le théâtre de Vevey, en Suisse, accueille des compagnies venues du monde entier, mais ne produit pas de spectacles. C'est cette spécificité qui a servi de point de départ aux illustrations. Toutes les œuvres de la saison sont présentées sur une carte du monde attachée au programme. Afin que l'utilisateur puisse accéder rapidement à l'information, nous avons inclus un index inspiré des cartes routières. En plus des images qui nous ont été envoyées, nous avons pris plusieurs centaines de photos de la vie quotidienne à Vevey et utilisé celles qui avaient un rapport avec certaines des pièces.

Vevey Theatre, Switzerland, hosts companies from all around the world, as it doesn't produce its own plays. This was reflected in the illustrations. All the plays in the season are displayed on a folding map attached to the programme. So that users could access the important information quickly, we designed a roadmap-style finder. Next to the images we received, we took hundreds of snapshots of everyday life in Vevey and used those that linked to the plays.

Dom Juan ou le Festin de pierre
Molière
Mercredi 29 octobre, 20h

« Il n'est pas une pièce qui contienne plus de mystère, de poésie, d'angoisse, de merveilleux, d'érotisme, de cruauté, de perversité, de pathétique, de grandeur, de tendresse, de foi, de doute, de scepticisme, d'irréligion voulue et qui soit en même temps et pour les mêmes causes, la plus religieuse » disait Louis Jouvet à propos de Dom Juan. Si on y ajoute le comique, que Molière a indéniablement mis dans sa pièce et que Jouvet a passé sous silence, voilà tout un éventail humain que Daniel Mesguich a exprimé avec l'esprit de liberté qui lui est propre. Ses audaces ont souvent provoqué l'admiration des uns et l'indignation des autres, mais avec ce Dom Juan, il a emporté l'adhésion de ses plus farouches détracteurs. Dans une esthétique superbe et un contexte d'époque, le spectacle est plein de surprises, de références tout azimuts, dont le décalage reste cohérent par rapport au propos de la pièce et dont l'impact touche les sensibilités de façon étonnante.

« Allons partager cette mise en scène si neuve aux gags inattendus! » (Le Monde) « Un Dom Juan où glisse la grâce. Mesguich réussit à dénouer l'écheveau si complexe de cette œuvre secrète en nous permettant d'en ressentir à la fois la force comique et la force tragique, ce qui est une rare réussite. Une très belle leçon de liberté et d'intelligence. » (Figaro Magazine)

Production : Compagnie Miroir et Métaphore
Théâtre de l'Athénée-Louis Jouvet
Mise en scène et scénographie : Daniel Mesguich
Costumes : Dominique Louis
Avec Denis Mesguich, Christian Hecq, Anne Cressent,
Pierre Delmarche, Emmanuel Crépin, Ariane Moret,
Florence Muller, Laurent Montel, Philippe Noël, Thibault
Vinçon, Marie Clark, Catherine Berriot, Marie Nortirou

Les Rustres
Goldoni
Mardi 20 avril, 20h

Ils sont quatre, sales et méchants, avec un avis tranché sur tout et sur tous, enfoncés dans leur vanité, leur égoïsme et leur machisme revendiqué avec une fierté qui ne souffre aucune contestation, car ils régnent en maître. Ce sont les rustres. Face à eux, trois femmes, deux épouses et une fille, qui n'en peuvent plus de servir de paillasson et qui, elles aussi, revendiquent leur droit aux caprices. La révolte gronde. D'autant plus que la jeune fille doit épouser un jeune homme qu'elle n'a jamais rencontré! Ensemble, elles vont se liguer pour donner une leçon aux tyrans...

Dans cette comédie-farce virevoltante, cynique et drôle, l'impertinence et le féminisme explosent en gags et en quiproquos incessants. Il y a de la comédie italienne dans l'air, mais il y a plus que cela car Rozet et Cie mélangent théâtre et musique — c'est leur marque de fabrique! Avec beaucoup d'humour et de décalage, ils marient au texte des musiques, des airs d'opéras, des chansons qui prolongent les situations, les illustrent avec un clin d'œil ou servent de contrepoints. Toute l'atmosphère formidablement sympathique avec au talent théâtral et musical de l'équipe des 400 Coups de l'Opéra!...

« Un spectacle irrésistible, ludique pétillant et fantasque. » (La Tribune) « dans la tradition d'un théâtre populaire reçu par les branquignols. » (Le Progrès de Lyon)

Production : Rozet et Cie/Théâtre de Vienne
Mise en scène : Bernard Rozet
Direction musicale : Laurent Pillot
Scénographie : Charles Rios
Avec Alain Blanpain, Didier Bernard,
Anne-Lise Foucret, Gilles Pinsont, Jacques Gomez,
Jeanne-Marie Lévy, Ysabel Harceut, Philippe Monde,
Hélène Pierre, Jérôme Sauvion et un ensemble instrumental

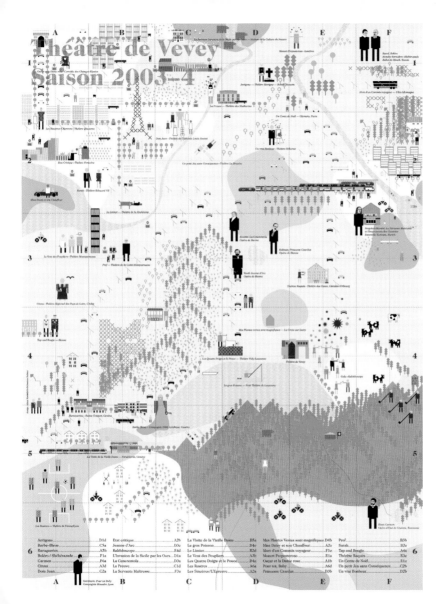

Théâtre de Vevey
Saison 2003-4

Antigone............D1d	Etat critique............A2b	La Visite de la Vieille Dame............B5a
Barbe-Bleue............C5a	Jeanne d'Arc............D3c	Le gros Poisson............D4c
Baragueries............A5b	Kaléidoscope............E4d	Le Limier............B2M
Boléro / Shéhérazade............F1a	L'Invasion de la Sicile par les Ours............D1a	Le Vent des Peupliers............A3b
Carmen............F6a	La Cenerentola............D3a	Les Quatre Doigts et le Pouce............D4x
Clitus............A3d	La Preuve............C1d	Les Roseres............A4a
Dom Juan............G2a	La Servante Maîtresse............F3a	Les Sincères/L'Épreuve............A2x

Mes Plantes Vertes sont magnifiques............D4b	Prof............B3b
Miss Daisy and son Chauffeur............A2o	Sarah............B2v
Mort d'un Commis voyageur............F3e	Tap and Boogie............A4a
Mozart Preposteroso............E1a	Thérèse Raquin............E3e
Oscar et la Dame rose............A1b	Un Conte de Noël............E1c
Pour toi, Baby............A6d	Un petit Jeu sans Conséquence............C2b
Princesse Czardas............D3b	Un vrai Bonheur............D2b

Gérthanix, Pour toi Baby
Compagnie Rksudev, Lyon

49

Adam a consacré une partie de son mémoire de fin d'études au séjour qu'il a effectué en Suisse et à l'exposition sur le design graphique suisse qu'il a organisée et supervisée dans le cadre de la Biennale du design graphique de Brno, en République tchèque. Le catalogue est un dépliant constitué de quinze affiches exécutées par les artistes exposés. Au dos de chacune, on trouve des essais, des interviews et des descriptifs des projets. La typographie utilisée pour les légendes est inspirée de celle de la compagnie EuroNight Trains, celle-là même qui a acheminé Adam jusqu'à Brno.

As part of Adam's graduation project, he gathered his experiences from studying in Switzerland and organised and curated an exhibition on contemporary Swiss graphic design for the Biennale of Graphic Design in Brno, Czech Republic. Unfolded, the catalogue consists of 15 posters made for the event by exhibited authors. On the back of them are essays, interviews and project descriptions. The typeface designed for the visuals was inspired by signs for EuroNight trains. These trains brought the exhibition and its curator to Brno.

+41
//DIY
Julia Born
Büro Destruct
François Chalet
Elektrosmog
Flag
Benjamin Güdel
Happypets
Aude Lehmann
Jürg Lehni
Urs Lehni
Lineto
Norm
Optimo
Silex
Alex Trüb
Cornel Windlin
Martin Woodtli

Work from Switzerland

Cool School
Fresh Graphic Design from Switzerland
and Holland

The exhibition opening and lecture by the project authors Adam Machacek & Radim Pesko will take place on Thursday, October 20 at 6 p.m.

21. 9. – 2. 10. 2005

galeria architektury SARP
ul. Dyrekcyjna 9, 40-013 Katowice
tel +322 25 39 675
fax +32 25 39 290
galeria@sarp.katowice.pl

With the kind support of PRO HELVETIA,
Arts Council of Switzerland

« Work from Switzerland » + l'école hollandaise Werkplaats Typografie = Cool School.
Adam Machacek et Radim Pesko, qui ont étudié la même année à l'Académie d'art, d'architecture et de design de Prague ont coorganisé une exposition sur le thème de leur expérience à l'étranger. Parallèlement, un cycle de conférences a été donné sur ce même thème par Julia Born, Karel Martens et Paul Elliman. Présentée d'abord à Prague, l'exposition a ensuite migrée à Katowice, en Pologne.

"Work from Switzerland" revisited + work from the Dutch school Werkplaats Typografie = Cool School.
Adam Machacek and Radim Pesko, former classmates at the Academy of Arts, Architecture and Design in Prague, put together the exhibition based on their experiences of schools abroad and staged it at their alma mater's gallery. It included lectures by Julia Born, Karel Martens and Paul Elliman. The exhibition then travelled to Katowice, Poland.

FROM MARS

L'exposition « From Mars » regroupait des projets personnels réalisés au cours des cinq dernières années par de jeunes graphistes venus du monde entier. Outre une vaste palette de techniques et de sources d'inspiration, une grande variété de supports et de médias incluant l'impression, la typographie, le web design, les projets interactifs, l'organisation d'événements artistiques, la scénographie, était présentée. Les travaux exposés partagent une relative autonomie qui détonne avec les habituelles contraintes que les graphistes rencontrent lors de leur travaux de commande. Collaborateur : Radim Pesko.

The "From Mars" exhibition featured examples of self-initiated graphic design projects produced over the past five years around the world. It demonstrated a broad range of interests and techniques, as well as a variety of media, including print, typography, curatorial work and exhibition design, interactive projects, web pages and essays. The work shared a certain autonomy that can seem quite alien to conventional client-led designers. Project collaborator: Radim Pesko.

designeraụ̈ụ̈sap / 060 / WELCOMETO.AS

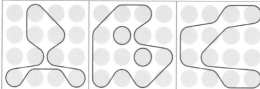

AFFICHE POUR UNE EXPOSITION
D'ARCHIGRAM, PROJET D'ÉCOLE.
LA TYPOGRAPHIE UTILISÉE S'INSPIRE
DES DESSINS ET ILLUSTRATIONS
RÉALISÉS PAR LE COLLECTIF
ARCHIGRAM ET LE DESIGNER
ARMIN HOFFMANN
DANS LES ANNÉES 1960
700 x 1000 MM
2003

ACADEMIC PROJECT FOR THE "ARCHIGRAM"
EXHIBITION POSTER. THE TYPEFACE IS BASED
BOTH ON ORIGINAL DRAWINGS AND DESIGNS
BY ARCHIGRAM AND ARMIN HOFFMANN
FROM THE 1960'S
700 x 1000 MM
2003

Archigram
29 juin–29 aout
Centre national d'art
et de la culture
Georges Pompidou
Paris

mardi à vendredi 10-18
mercredi 10-21
samedi, dimanche 10-17
lundi fermé

ARCHIGRAM
CENTRE
NATIONAL
D'ART ET
DE
CULTURE
GEORGES POMPIDOU
PARIS

Théâtre de Vevey

Saison 2004-5

...ez qui?
(...ts Nègres)
...ristie
...vrier 20h

...si vous n'avez pas encore lu cette célébrissime histoire – qui
...veau titre qu'à la pression du politiquement correct anti-
...onnes se retrouvent dans une belle maison isolée sur une île
... les unes après les autres. Par qui et pourquoi?

...issez, votre plaisir n'en sera pas diminué pour autant: la
...nnages plus british que nature est absolument savoureuse
...eler peu à peu, faire et défaire leurs alliances dans une
...uspicion et d'accusations permanentes, s'échiner
...qui tire les ficelles de ce jeu de massacre, est un
...ine observatrice de la nature humaine, Agatha Christie
... les faux-semblants et les fausses pistes, mettant au défi
...e l'analyse et entraînant tout le monde dans un labyrinthe de
...qui ne trouvent leur justification qu'avec la fin de l'énigme.
...n scène que joue à fond le jeu de l'auteur, qui prend un soin
...tenir la tension et même adroitement effets spéciaux, humour
...bon enfant, frissonner de peur est un plaisir!

...ne pas se régaler!» (Le Figaro) «Tous les comédiens s'avèrent
...canique fonctionne parfaitement, on rit,
...(France-Soir)

...tre du Palais-Royal. Adaptation: Sébastien Azzopardi Mise en
...rat;
...t, Costumes: Bernadette Villard
...louvier, Urbain Cancelier, Michel Crémadès,
...Yves Gasc, Laurent Gérard, Philippe Laudenbach,
...agnès Pelletier

...ntracte. Tarifs. 20.- 30.- 40.- 50.- 55.-

27

Belles de Brecht
Textes de Bertold Brecht
Jeudi 10 mars 20h

Trois femmes: une pianiste, une chanteuse, une comédienne, pour dévoiler
un Brecht différent de celui qu'on connaît. Un Brecht qui fait mentir l'étiquette
intellectuelle qu'on lui colle, qui se dévoile en nous racontant des petits bouts
de l'histoire tragi-comique du XXe siècle, sa fascination pour les femmes, ses
combats contre la guerre et ses horreurs, son refus de l'oppression et de
l'obéissance aveugle à l'ordre établi, son épicurisme tonique et fraternel.
Ce Brecht-là, ce n'est plus seulement le porte-drapeau d'une idéologie et le
pourfendeur des timorés de la conscience, c'est aussi le porteur d'espoir au
sein même du chaos, celui qui croit en la pulsion de survie à travers l'amour,
le sexe et le rêve.

Avec ces textes, on fait la connaissance d'un drôle de bonhomme,
anticonventionnel, insolent et jouisseur, dont les propos restent étrangement
actuels. Et puis, il y a la musique qui les accompagne: celle du «dégénéré»
(selon Hitler) Hanns Eisler, les mélodies célèbres ou moins connues de Kurt
Weill, magnifiques d'émotion ou d'ironie... Dans un esprit de cabaret, un
spectacle qui mêle comédie, chant et musique pour faire cohabiter la
chanson populaire et le lyrisme.

«Un spectacle fou d'amour, fou d'espérance. Un grand coup de cœur de
poésie.» (Le Monde) «Un vrai moment de plaisir qui réjouit le cœur.»
(Le Figaro)

Musiques de Kurt Weill, Hanns Eisler, Bertold Brecht
Création des Tréteaux de France. Conception: François Bourgeat
Avec Jocelyne Carissimo, Gabrielle Godart, Susanne Schmidt

Les traductions françaises des textes sont, entre autres,
de Boris Vian, Roger Planchon, Bernard Lortholary,
Louis-Charles Sirjacq, Geneviève Serreau...

64

igné Dumas
il Gely et Eric Rouquette
il 11 novembre 20h

nt une force de la nature, un être extravagant et fougueux, qui voulait
e toutes ses passions en même temps: la littérature, les femmes, la
e chère, les beaux logis... Mais tout hyperactif génial qu'il était,
as n'avait pas le don d'ubiquité et, pour le seconder dans l'écriture
les romans fleuve, il avait des «nègres». Auguste Maquet était l'un d'eux.
erse de son patron. Intellectuel rigoureux, réservé, besogneux, il se
amentait, prospectait, élaborait à partir des idées de Dumas qu'il ajoutait
details et instillait aux romans toute leur sève. Complémentaires?
arrement. Complices? Voire!...

s, février 1848. Dumas et Maquet travaillent au Comte de Monte-Cristo,
que la révolution éclate et fait surgir leurs divergences d'opinions:
cur tâcheron frustre va se rebiffer, revendiquer sa part créatrice et
as devra affronter deux révolutions à la fois!... Un duel étincelant et
e dans un suspense historico-littéraire; liés l'un à l'autre, lequel de
as ou de Maquet est le véritable auteur de certains ouvrages, de
ins passages, de certains personnages?

brillants auteurs se régalent. Nous aussi.» (Le Canard enchaîné)
ncis Perrin est sublime, irrésistible et touchant, énorme et truculent.
ry Frémont est tout en finesse, remarquable d'ambiguïté.»
igaro)

tion du théâtre Marigny-Robert Hossein
en scène, Jean-Luc Tardieu. Décor: Nicolas Sire
Francis Perrin, Thierry Frémont, (Molière 2004 du meilleur
dien dans un second rôle) et Maxime Lombard

e: 1h45 sans entracte
: 15 - 20 - 30 - 45 - 50 -

11

À la demande du théâtre de Vevey, nous avons
utilisé les photographies qui nous ont été fournies
par les diverses compagnies. De la simple
photocopie à la photographie couleurs
ultrasophistiquée, nous avons décidé de garder
les clichés dans leur état d'origine et de les utiliser
comme base pour les illustrations. Le programme
s'ouvre sur une double page destinée aux chasseurs
d'autographes. Chaque filet renvoie à un portrait
miniature du comédien figurant sur une des
tranches. En effet, les hachures formant le cadre
qui se trouve sur chaque page recrée les portraits
de chaque comédien sur les tranches, une fois
le programme fermé.

Vevey Theatre wanted us to use pictures provided
by various theatre companies. These ranged from
a black-and-white photocopy to professional hi-res
photos. We decided to keep the pictures in their
original quality and use them as base for illustrations.
The first spread of the programme is dedicated to
autograph collectors. Each autograph is linked with
a miniature portrait of the actor, which appears on
three edges of the brochure. The frame you see
around each spread actually forms those portraits.

KNSM

Z/A////////
///////////
ZURICH IN ///
//AMSTERDAM
///////////
/31.05/02.06
02/////////

« Z/A ZURICH À AMSTERDAM »
FLYER POUR UN VOYAGE SCOLAIRE
D'ÉCHANGES DE TROIS JOURS
42 x 29,7 CM
2002

"Z/A-ZURICH IN AMSTERDAM"
FLYER FOR A THREE-DAY
SCHOOL-EXCHANGE TRIP
42 x 29.7 CM
2002

Slovenského fondu výtvarných umení v Bratislave. Na kongrese AICA v Moskve a Tbilisi roku 1989 som predniesla referát „Falšície avantgardí" o vzťahu oboch maliarok. V rozšírenej podobe vyšiel v časopise *Výtvarný život* č. s a 5, r. 35, 1990, s. 28–36, s. 12–19. Uvádzam tam literatúru o Exterovej do roku 1989.

ka polstoročnému priateľstvu skou maliarkou Ester M.-Ši informácie o jej parížskej u nej maliarke a scénografke Alexandre Exterovej. Postup do „trinástej komnaty", ktor siatych rokov bola nielen E Šimerovej, a začala som hlb

212 OSOBNOSTI

216 OSOBNOSTI

naproti tomu v pozadí static my, náznak pohoria a ďalšie Dynamický pohyb tu má vn vyvolávajúci dojem priestor
    Zachované variant dokazujú dôsledné pedago požiadavku vytvárať kompo mické, predmetné i abstra

224 OSOBNOSTI

máčovať výtvarná avantgar postavenie ako moderná, p dzokrajná" maliarka vedľa Fullu. V nasledujúcich roko medzi vedomým zdomácňo ti a medzi tematickými kon v parížskej škole. Príkladon obraz *Vtáci nad horami* (19

228 OSOBNOSTI

Záber z výstavy E. Šimerovej a J. Horovej v Bratislave, 1937. Photo from the exhibition of E. Šimerová and J. Horová in Bratislava, 1937.
Foto Anna Mináčková

234 OSOBNOSTI

60.
Bulletin
Moravské
galerie
v Brně
/2004

Publié pour la première fois en 1963, le bulletin de la Moravian Gallery est un florilège d'articles consacrés aux collections, expositions et personnalités marquantes de la galerie et d'essais sur l'art contemporain, le design et l'architecture. La galerie nous a confié la conception de son bulletin pour les cinq années à venir. En 2004, pour le quarantième anniversaire de la revue, nous avons eu l'idée de retracer son évolution depuis sa création à partir de statistiques réalisées par nos soins. Nous avons reproduit toutes les couvertures des années précédentes sur la couverture et inséré des statistiques relatives au nombre de pages, aux formats, aux graphistes, à l'épaisseur de la tranche, aux imprimeurs. À notre grande surprise, nous avons découvert que, en quarante ans d'existence, la publication n'avait employé que trois éditeurs et cinq graphistes. Les cinquante-neuf numéros, qui ont changé sept fois de format, totalisent 5 094 pages pour un poids total de 18,145 kilos. Rangés côte à côte, ils occupent un espace linéaire de 2 815 mètres. Le nombre de pages varie de deux pour cent d'un chapitre à l'autre.

The Moravian Gallery's bulletin, published since 1963. It gathers scientific texts related to the gallery's collections, exhibitions and personalities as well as essays on contemporary art, design and architecture. We were invited to redesign the book for the next five years. The 2004 issue reviewed 40 years of the bulletin. We wanted to show, through self-initiated statistics and measurements, how it had evolved. This began on the cover, which showed all the previous covers; and continued with charts comparing the number of pages, formats, graphic designers, spine thicknesses, printers, etc. The results surprised us: over 40 years, the publication had had only three editors-in-chief and five graphic designers. The 59 issues weighed a total of 18.145 kg; went through seven formats and 5,094 pages, and occupied 2.815 metres of bookshelf space. The page numbers grow by two-point increments within each chapter.

61. Bulletin Moravské galerie v Brně / 2005

Pour le numéro 2005 du bulletin de la Moravian Gallery, nous avons créé des numéros à partir de collages réalisés par l'artiste Jiri Kolar et d'une affiche de M/M Paris. Chaque fût de lettre peut être rempli d'images, un principe que nous avons utilisé du début à la fin du livre. Chaque chapitre est annoncé par un gros chiffre dont le fût est rempli d'images extraites du chapitre.

For the 2005 issue of the Moravian Gallery Bulletin, we created custom numbers (later a whole typeface) inspired by collages by artist Jiri Kolar and by a poster by M/M Paris. Each letter stripe can be filled with images. This principle was used throughout the book. Each chapter is announced by a large page number, filled with images from the chapter.

61.
Bulletin
Moravské
galerie
v Brně
/2005

180

232

Mirka Slámová
Některé podoby její svobody

Konečná

V letech 1951–1955 studovala dějiny umění na Filosofické fakultě MU v Brně u prof. A. Kutala a prof. Pinského jako externistka na katedře architektury Fakulty architektury VUT v Brně u prof. B. Fuchse, jako odborný pracovník v Brně a v krajské galerii Ostrava v letech 1963–1969 vystavující dějiny umění na brněnské SUŘ. V roce 1959 členka Magistr. Od letech končce se stupeň. Maj Praha a Pinského Brno Speciology in an modern umění. Publikoval na po-d drtivně práce. Autor: Opus museum : Bulletin, s Bulletinu MG od Připomínka texty do katalogů výstav brněnských umělců a výstav brněnské od 1965–1969. Monografie texty: Michal Ranný, František Šenk, Robert Hliněnský.

During 1951–1956 studied art history at the Faculty of Arts of Masaryk University in Brno under and prof. V. Richter. Worked as an assistant at the Department of Urban Planning of the Architectural Faculty of the Brno of University under prof. B. Fuchs as a specialist in the Art House in Brno and in the Regional Gallery in Ostrava. During 1963–1969 or of art history at the School of Arts and Crafts in Brno. In 1959 became a member of Magistra s in Brno, in the 1960's shortly in the Prague and Pinského Brno. Specialises in modern art. Published in the journals Výtvarná práce, Domov, Opus musicum, Bulletin ... etc. Prepared texts for exhibition catalogues of Brno artists and exhibitions of the College of Applied arts in Brno during Monographs: Michal Ranný, František Šenk, Robert Hliněnský.

Materiály

Informace v textu článku pøoházející s ilus-
tracemi nalejznout budou tlat a dotvorští
tímisto. Pro plynutí celku po po vlka
ty je dali pro vlkaz vznik a vztahem přívoz
s textu který souvislost daleh informace
a navíc teyách učivách obzlotla nékolin
vlevnů umočením vlkaz se v popíchu baly
s fotem s kompozicem katl ostavítov taklavoz
fotky granítatika baltlu ostavítov taklavozů
Informace s tímto textech Vzhoubení konší
moci v Hrašti Kultura, modrý nejmožlivé
rodimá dalo dvokul poleově vzhou Slumka
pozhoziny jek viz z textu poteva z tomto
velko nzlehiz. Se umočení tou informnice
stlo pozícovnom trest tím tou vztlout plit
poně PhDr Mirny Landvová

Květina jedna realizovaní, jednu ztracení
a cítili nevzdáleraumí trosby zídli s vlechaného dreva
nastavujmcje není moinu proseomneí. Byli jim, kteří
modelu pro Theatry nebo Kohan zavelili modelem
vlc. Ale pívoetu, se té lůtčím jeho práce byly pívet-
jen hlavní starfu, lečn stavby umocha interiérových
dopřišku, jako oevčlámezi tělena, střčhy, křiky, ze-ho
zabrzalt, vztavem jeho lprai na komplotvolní inte-
viírou a dokomaloti detailů. Ze se tato jeho čínnosti
jednou muselu dorkumit i chtlíčaneho náberka, po-
samaríytímu. Lze ocenit pro Ietvat, že Kanfrrovo so-
slufáni s Theatrovským naběskom zostalo v té jednou
zídla katalogového čísla 692.

1931. Petr Aréga.
Toto umožnili a poďlouhi na od Brně vyl dějiny umění
s cítili nevzdáleri u kalerie oitlu s vlechaného zídla prastatlu uži
Kamfora. Vzhledů vlkaz taklava i vrkytlí dalové stlě od huměla o
in Brno, Galery ... and classical
Bohemia, under ... Václava Kanfora at ... dealing Brno
painters Brno ... and ...

Moravská galerie v Brně
The Moravian Gallery in Brno

a
and

ARCTIC PAPER   Arctic Paper, A.B.

PF 2006

Přejeme vám stejně radostné
vyhlídky
Wish you the very best
of 2006

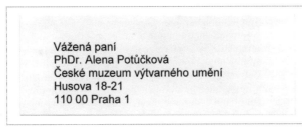

design AS

Vážená paní
PhDr. Alena Potůčková
České muzeum výtvarného umění
Husova 18-21
110 00 Praha 1

Námořní deník hraběte Erwina
Dubského
Naval Diary of Count Erwin
Dubský

3. března – 28. května 2006
3 March – 28 May 2006

fotografie Japonska, Číny
a Siamu z konce 19. století
late 19th century photographs
from Japan, China and Siam

22. mezinárodní bienále
grafického designu Brno 2006
22nd International Biennale of
Graphic Design Brno 2006

13. června – 15. října 2006
13 June – 15 October 2006

světové trendy v grafickém
designu – plakát, firemní,
informační a reklamní grafika
latest trends in graphics
– poster, corporate identity,
information and advertising
design

Ve stopách času (pracovní
název)
In the Tracks of Time (working
title)

listopad 2006 – leden 2007
November 2006 – January 2007

úspěchy restaurátorského
oddělení Moravské galerie
v Brně
achievements of the Moravian
Gallery in Brno restoration
department

www.moravska-galerie.cz
www.arcticpaper.com

This is Arctic the Volume
250 g / m2

COUVERTURE DU MAGAZINE
DE DESIGN GRAPHIQUE *FONT*
NUMÉRO SPÉCIAL CONSACRÉ
À LA HI-FI ET À L'ÉLECTRONIQUE
21 x 29,7 CM
2004

COVER FOR THE GRAPHIC
DESIGN MAGAZINE *FONT*
SPECIAL ISSUE ON THE THEME
OF HI-FI AND ELECTRONICS
21 x 29.7 CM
2004

FIVE DESIGN FELLOWSHIPS
WINTER–SPRING 2007

ADULT TRADE:
BEAUTIFUL BOOKS ON A VARIETY
OF INTERESTING SUBJECTS

CHILDREN'S:
CREATIVE, FUN AND EDUCATIONAL
BOOKS FOR CHILDREN

GIFT:
EXCITING KITS, DECKS, CALENDARS,
CARDS AND OTHER GIFT ITEMS

INDUSTRIAL / PRODUCT DESIGN:
INNOVATIVE PRODUCTS AND
PACKAGING DESIGN

MARKETING DESIGN:
DYNAMIC PROMOTIONAL
MATERIALS FOR ALL
DIVISIONS

www
.chronicle
books.com/
design
fellowship

PORTFOLIO DUE:
NOVEMBER 7, 2006

START DATE:
JANUARY 3, 2007
END DATE:
JUNE 29, 2007

CHRONICLE BOOKS
85 SECOND STREET,
6TH FLOOR
SAN FRANCISCO,
CALIFORNIA 94105

Design by Adam Machálček. Printed by Bloom Screen Printing Co, Oakland, CA.

AFFICHE POUR LE « CHRONICLE
BOOKS DESIGN FELLOWSHIP »
35,6 x 56 CM
SÉRIGRAPHIE, BICHROMIE
SAN FRANCISCO, 2007

POSTER FOR THE "CHRONICLE BOOKS
DESIGN FELLOWSHIP"
35.6 x 56 CM
TWO-COLOUR SILKSCREEN
SAN FRANCISCO, 2007

Projet pour un festival dédié au rock et à la culture visuelle alternative des années 1960, regroupant une grande exposition, de la musique et des films. Inauguré à l'été 2005 à Prague, il a ensuite voyagé dans de nombreuses villes. Une affiche recto-verso pliée sert de couverture au catalogue. On peut y voir le programme du festival et des reproductions des principales œuvres exposées. Douze autocollants avec les slogans de l'expo sont insérés dans la couverture.

Design for a festival on the rock music and alternative visual culture of the 1960s, spanning a large exhibition, music and films. Held in summer 2005 in Prague, it has since toured many other cities. A double-sided poster, folded as a jacket of the catalogue, includes the events programme and reproductions of the exhibition's key works. Twelve stickers with the exhibition slogans are included on the catalogue's cover.

THE POPE SMOKED DOPE

PAPEŽ

ROCKOVÁ HUDBA
A ALTERNATIVNÍ VIZUÁLNÍ
KULTURA 60. LET

ROCK MUSIC AND THE
ALTERNATIVE VISUAL
CULTURE OF THE 1960s

PALÁC LUCERNA / LUCERNA PALACE
PROGRAM FILMOVÉHO A ROCKOVÉHO FESTIVALU
THE FILM AND THE ROCK FESTIVAL PROGRAMME

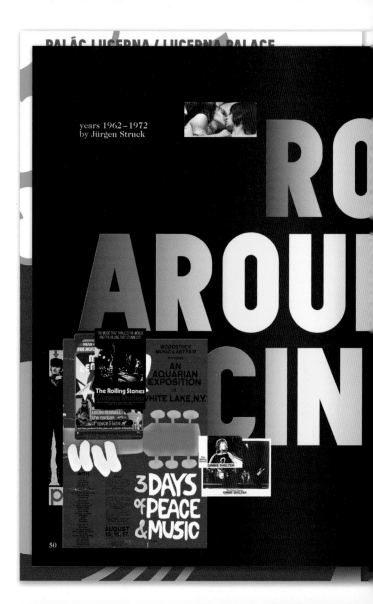

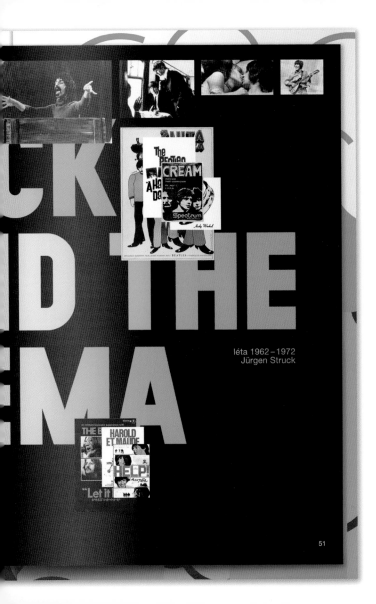

CK
D THE
MA

léta 1962 – 1972
Jürgen Struck

51

Projekt o beatové a rockové hudbě a jejím vlivu na grafický design le 1962–72 představuje především takzvaný psychedelický styl, který b pro šedesátá léta vizuálně příznačný. Rockové a psychedelické plak obaly gramofonových desek, multiply, letáky, knihy a časopisy z cel světa spolu s hudbou v pozadí spoluvytvářely alternativní vizuální kulturu, jež formovala životní pocit a názor na společnost a svět jedn celé generace.

Project devoted to beat and rock music and its influence on 1962–19 graphic design introduces the so called psychedelic style, the visual identity of the 1960s. Rock and psychedelic posters, music records covers, multiples, flyers, books and magazines from all over the wor together with background music constituted the alternative visual culture that formed the life experience, social attitudes and worldvie of one whole generation.

Théâtre de Vevey
Saison 2005-6

REALISEZ UNE MASCOTTE POUR LA SAISON 2005-06

Le Théâtre de Vevey met au concours la réalisation d'une mascotte pour la saison 2005-6.

Le vainqueur gagnera un abonnement de son choix.

Tous les travaux seront publiés dans le programme de la saison 2005-6.

Technique et format libre.

Envoyez vos travaux avant le 15. mai 2005 à:
CONCOURS@THEATREDEVEVEY.CH

ou à l'adresse: Théâtre de Vevey
4, rue du Théâtre
1800 Vevey

WWW.THEATREDEVEVEY.CH

Le théâtre de Vevey nous a demandé de créer une mascotte
pour sa saison 2005-2006. Comme nous ne nous sentions
pas de nous en charger nous-mêmes, nous avons lancé
un concours par le biais d'une campagne de presse et
d'affiches. Seules deux propositions nous sont parvenues.
Faute de participants, le concours a dû être annulé.
Nous avons pris nos crayons et nous nous sommes
attelés à la tâche.

We were asked to create a mascot for the 2005-06 Vevey
Theatre season. We didn't feel right doing it ourselves, so
we launched a public competition. After announcing it through
posters and newspaper ads, we received only two entries.
The competition was cancelled. We picked up our pens
and did the illustrations ourselves.

SAISON 2005 – 6   page

Octobre	Ma 25	19 h 30	Nomades – Le Bal des Vampires	56
	Ma 26	19 h 30	Nomades – Le Bal des Vampires	56
	Sa 29	19 h 30	Ondine	10
Novembre	Sa 5	19 h 30	Bilboo	64
	Lu 7	19 h 30	Mère Courage	12
	Je 17	19 h 30	Conversations après un Enterrement	14
	Di 20	17 h	La Traviata	48
	Ma 22	19 h 30	Le Prince de Hombourg	19
	Ve 25	19 h 30	King Lear	66
	Di 27	17 h	Bricomic	78
	Ma 29	19 h 30	Rue de Babylone	21
Décembre	Ve 9	19 h 30	Les trois Sœurs	18
	Di 11	17 h	Le Dresseur de Piano	68
	Lu 19	19 h 30	L'Évangile selon Pilate	25
	Je 29	19 h 30	Les Empires de la Lune	24
	Ve 30	19 h 30	Les Empires de la Lune	24
	Sa 31	21 h	Les Empires de la Lune	24
Janvier	Di 15	17 h	Le Magicien de Papier	79
	Lu 16	19 h 30	Ces Dames de bonne Compagnie	26
	Di 22	17 h	Gala de Ballet Classique	57
	Sa 28	19 h 30	Amadeus	28
Février	Ma 7	19 h 30	L'Avare	30
	Je 9	19 h 30	Sit / El Tricicle	70
	Sa 18	19 h 30	Amitiés sincères	32
	Je 23	19 h 30	La Flûte enchantée	72, 79
Mars	Je 9	19 h 30	Comme en 14	34
	Sa 11	19 h 30	Hello Trenet	74
	Lu 20	19 h 30	Les Grelots du Fou	36
	Je 23	19 h 30	Le Chevalier à la Rose	49
Avril	Di 2	17 h	L'Umofante	79
	Ve 7	19 h 30	L'Italienne à Alger	50
	Ve 28	19 h 30	Ta Bouche	51
Mai	Ve 5	19 h 30	Le Train du Sud	38
	Je 11	19 h 30	Falstaff	52
	Ma 23	19 h 30	Le Médecin malgré lui ou le toubib...	40
Juin	Ve 2	19 h 30	La Clémence de Titus	53

Brecht-Weill Songs Cabaret – Théâtre musical

[...], Brecht était un grand émotif! De ceux qui noient leur [...] dans un flot de théories moralistes et socio-politiques. [...] une quarantaine d'années pour qu'on cesse de l'interpréter [...] fameuse «distanciation», pour qu'on lui enlève son étiquette [...] rituel froid et qu'on s'aperçoive que son œuvre déborde [...]ns. Il suffit d'entendre ses poèmes et ses «songs» pour être [...] une atmosphère forte et contrastée, dans des histoires [...]se qui touchent au cœur.

[...] spectacle, chaque chanson est un voyage dans le destin [...]mme, avec ses souffrances et ses joies, ses désillusions et [...]irs. A côté d'elle, les personnages défilent et chaque histoire [...]re constitue un morceau de ce puzzle qui, à la fin, nous permet [...]n portrait de cette société des années 30, à la fois lointaine [...]mps et proche par certains de ses aspects. La musique de [...]ll, qui illustre si bien ce mélange de cruauté et d'humour, [...]me contrôlées et de tendresse, renforce encore ce pouvoir [...]r et l'humanité de la poésie de Brecht.

[...]r Weill superbement revisités: *Ariane Moret* nous transporte [...]espace-temps étrange et fascinant.» *Ta Nouvel*«*Elle balance* [...]se, et avec quelle élégance, entre *le jeu théâtral et la chanson* [...]use, canaille et désespérée.» *La Marseillaise*

[...]ie Serge Gagneré Avec Ariane Moret Accordéon Serge Broillet

[...]vembre, 19h00   Plein tarif 28.–   Étudiant 20.–   Durée 1h15 sans entracte   Entrée 84—85

RUE DE BABYLONE Jean-Marie Besset

Une nuit d'hiver, tard. Dans le hall d'un immeuble des beaux quartiers, un homme rentre chez lui quand il se fait apostropher par un sans-logis. Ils sont de la même génération, mais pas du même côté de la barrière. D'un à tout, l'autre n'a rien. Pourtant un dialogue va s'instaurer. Entre culpabilité et humilité apparente, fascination et malaise, les deux hommes se cherchent. Pourquoi? Qui est ce marginal qui semble détenir des informations sur l'autre? On croit à un début de chantage, mais ce n'est pas si simple.

Dans cet affrontement métaphysico-social, qui débouchera sur un thriller de conception quasi classique, on est emmené sur une série de fausses pistes, saisi par des renversements de situations, pris dans un duel qui révélera les fêlures de chacun. Car ce ne sont pas seulement deux existences férocement étrangères qui se font face, mais aussi deux existences complexes aux trajectoires inverses. Dans un monde où, comme disait Lewis Carrol, «il faut courir le plus vite possible pour rester à la même place». Besset essaie de remonter à la source première des choix de vie. Et si c'était la passion?

«*Le cheminement de l'intrigue est remarquablement maîtrisé. Ce beau texte, dans une mise en scène d'une élégante précision, nous vaut une soirée intense avec deux acteurs de grande qualité.*» Le Figaro Magazine

Mise en scène Jacques Lassalle Avec Samuel Labarthe et Robert Plagnol Décor Alain Lagarde Création Théâtre du Petit Montparnasse

Mardi 29 novembre, 19h00   Prix 15/20/30/45.–   Durée 1h45 sans entracte   Théâtre 18—19

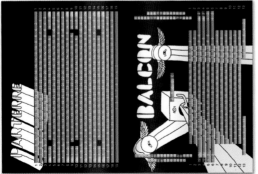

Ce rapport annuel, présenté comme un coffret dans l'esprit des jeux de société, a été réalisé spécialement pour Agropol, une grosse entreprise tchèque. La brochure, faite d'illustrations composées à partir du logo de la compagnie, représente un village qui prend forme au fil des pages, sur lesquelles apparaissent, en parallèle, les résultats financiers de la firme. Réalisé lors d'un stage chez Studio Najbrt à Prague.

Agropol is a major agricultural company in the Czech Republic. This annual report is made as a gift-box, consisting of a custom-designed "Do Not Be Angry" game. The brochure is based on illustrations composed with the company's logo. Throughout the book a village is built on this idea, along with the financial results charts. Designed during an internship at Studio Najbrt, Prague.

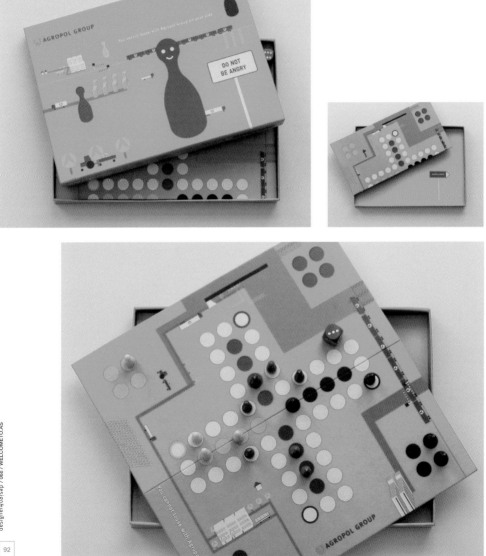

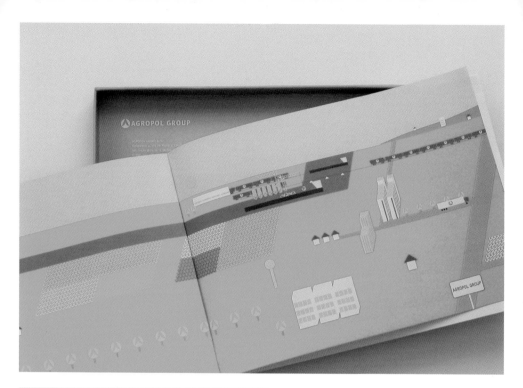

CATALOG L.A.
BIRTH OF AN ART CAPITAL
1955–1985

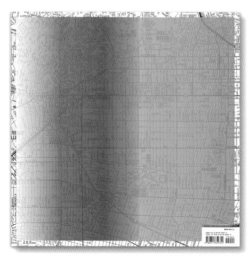

Couverture et frontispice de l'édition américaine d'un ouvrage consacré aux artistes de Los Angeles de 1955 à 1985. L'ouvrage original fut édité par le Centre Georges-Pompidou à Paris. La typographie est inspirée d'un logo pour le LAICA Journal. Réalisée au cours d'un stage chez Chronicle Books.

Design of cover and front matter for the North American edition of a comprehensive survey of the Los Angeles art scene from 1955 to 1985. The original book and accompanying exhibition were originated by the Pompidou Centre in Paris. The custom typeface is based on a LAICA Journal logo. Designed during a design fellowship at Chronicle Books.

CATALOG L.A.

THÉÂTRE
DE VEVEY
SAISON
2006–7

La particularité de ce programme du théâtre de Vevey est sa couverture qui contient pas moins de cent cinquante-sept autocollants. Certains, comportant la date et l'heure de chaque spectacle, peuvent être insérés dans un agenda ; d'autres permettent de donner son appréciation sur la représentation ; il y a également un autocollant « comment s'y rendre » à coller sur son tableau de bord pour ne pas se perdre en chemin. Pour les inconditionnels de l'art abstrait, on trouve également des autocollants ronds ou carrés de couleurs vives. Le programme a été imprimé en quadrichromie, le magenta et le jaune ayant été remplacés par des couleurs Pantone Reflex.

The major feature of this season's programme is its cover, containing 157 stickers. There are stickers for your diary, giving the dates and times for each play; a set of stickers to rate performances; and a 'how to get here' sticker for your dashboard so you never again lose your way to Vevey Theatre. If you are a more abstract type, then the stickers with circles and squares in four bright colours are for you. The whole programme is CMYK process printed, but the M and Y are replaced by Pantone reflex colours.

LES BRIGANDS
Jacques Offenbach

Falsacappa est un tout malin : il a découvert qu'une somme de trois millions va transiter entre les ambassades de Grenade et de Mantoue afin de sceller l'union des enfants princiers. Avec sa bande de brigands, il va investir l'auberge où doit avoir lieu la transaction et se déguiser successivement en délégation de Mantoue, puis en délégation de Grenade pour empocher les millions. Mais les choses ne se dérouleront pas exactement comme il l'avait prévu...

Cette grandiose bouffonnerie dissimule une satire aussi féroce que désopilante. Elle renverse les valeurs dans un constat de toute éternité : le monde des brigands, ce sont les sociétés où règnent cupidité, lâcheté et dissimulation, où l'on « vole selon la position qu'on occupe » ! Elle se

moque de la haute finance, de la mode espagnole en vogue, de la futilité de « la Haute », de la vanité de la diplomatie et de l'inefficacité de la force publique (c'est de là que vient l'expression « arriver comme des carabiniers » — toujours trop tard !).

À travers une force d'expression réjouissante, des airs et des ensembles brillants ou comiques, la musique est un régal, qui s'amuse avec les sons (le cor au fond des bois, l'écho, le martèlement des bottes...) et avec les conventions de l'opéra.

Après le Docteur Ox et Ta Bouche, la Compagnie des Brigands se fait un bonheur de mettre sa fantaisie et son inventivité au service de ses homologues d'Offenbach !

Avec
Christophe Crapez
Emmanuelle Goizé
Ronan Nédélec
Camille Slosse
Jeanne-Marie Lévy
Marie-Bénédicte Souquet
Olivier Hernandez

Mise en scène
Stéphane Vallé
Loïc Boissier
Scénographie
Florence Evrard
Direction musicale
Benjamin Lévy
Coproduction
Compagnie Les Brigands,
La Coursive Scène
nationale La Rochelle,
Théâtre Athénée Paris
En partenariat avec
Théâtre du Gymnase
Marseille et les Wiener
Festwochen de Vienne

Prix
28/38/48/68/78

60   61

PROGRAMME 2006-2007
POUR LE THÉÂTRE DE VEVEY
16 x 21,5 CM, RELIURE PIQUÉE
À CHEVAL, OFFSET
JUIN 2006

VEVEY THEATRE PROGRAM
2006-2007
16 x 21,5 CM, STAPLED
BROCHURE, OFFSET
JUNE 2006

designergu8lsap / 068 / WELCOMETO.AS

62. Bulletin Moravské galerie v Brně/2006

62. Bulletin Moravské galerie v Brně / 2006

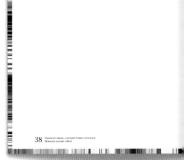

Ce numéro est consacré à une importante collection de photos appartenant à la Moravian Gallery. Vingt-six photos sont visibles sur la tranche du livre, chacune représentant un chapitre. Pour chaque intercalaire, nous avons créé un collage à partir de photos figurant dans le chapitre concerné. La couverture est un collage en négatif de toutes les photos présentées dans le livre.

This issue is dedicated to a large photography collection owned by The Moravian Gallery. Twenty-six images are visible on the book's edges, each representing a chapter. For each chapter opener, we designed a collage made from photographs in the chapter. The cover is a negative reproduction of the following illustrations; a large collage comprising all the images in the book.

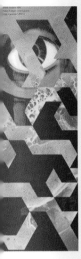

Výstavy fotografie v Domě umění města Brna, Kabinetu fotografie Jaromíra Funka Domu pánů z Kunštátu pod kurátorským vedením Antonína Dufka

1926 Jana Vránová
*1948
V letech 1962–1967 studovala na Střední uměleckoprůmyslové škole v Brně. 1967–1972 dějiny umění na Filozofické fakultě UJEP v Brně (dnes Masarykova univerzita) – Alberto Kutal, Ivo Krsek, Eduard Kudělka, Václav Richter, Bohdan Lacina. 1972 disertace soustě. Od roku 1972 pracuje v Domě umění města Brna. 1972–1990 kurátorka výstav fotografie v Kabinetu fotografie Jaromíra Funka v Domě pánů z Kunštátu. 1987–1992 v Galerii hlavě výstav. 1989–1990 komisařka Galerie Jaroslava Krále v Domě umění města Brna. Realizuje přednášky cyklusy současné fotografie a malby. Publikační činnost – katalogy výstav, recenze.*

Between 1962–1967 studied at the College of Applied Arts in Brno. 1967–1972 art history at the Faculty of Arts of Jan Evangelista Purkyně University in Brno (today Masaryk University) – under Albert Kutal, Ivo Krsek, Eduard Kudělka, Václav Richter, Bohdan Lacina. 1972 dissertation titles. Since 1972 working for the Brno House of Art. 1972–1990 curator of photography exhibitions in the Jaromír Funke Photography Room in the House of the Lords of Kunštát. 1987–1992 at the Gallery News section. 1989–1990 commissioner of the Galerie Jaroslava Krále in the Brno House of Art. Realises weekly exhibitions of current photography and painting. Publishing activities – exhibition catalogues, press reviews.

29

Nasledující esej mnohem interpretovat výkaz Josefa Sudka (1896–1976) přesplánované, nýbrž mantazit jeho poezi středověkém rozšíření oblasti, která je pokládána za umírkohou. „Ono se zatáfe od toho dokumentem," pravil Sudek, „a k tomu druhým se šlo proměňuje." Nacel snel nastat nějaký tak.

In dobén námam, ke od konce 19. stoleti se mezi nemírat druhy umění pronesovaly fotografie upracovaná uskutečnění tisky. Ono estetizující tendenci, nemírovel cítit zvukoch výtvarných úzaru, vznásaí po mírutu ze mírovel výtky rozsáh Josef Sudek. Nebyla ve ale prvn fotografická srylízace, s níž se setkal. Ani jž jako prvn nejenakritoval. Zato se k ní překvapivé vrati v dobé oficiálně slávi jednut na socialistický realismu.

Anna Fárová zverřejnila dokážé záběry Sudkova díletii z oulad. Osvějumajú, že rodina byla v dáotovním styku s frotozmeským fotografovodním. O dráote les umiri Sudkova společtirace Bohumila Bloudilkova pracovala u vzínnebo kolinskébo fotografa Františka Krátkého, k némož semárš Sudkani z Norých Dvorů dahřka. Architekton proti modl Sudek pozna jesté blíze, když si Bloudilkova otevřela v kolínskem Zahdu vlastni studio. Stale se po prokázání dubna 1906. Novozareho zakrudavnho archivu s Bukelovci si uvedl Sudkani sílne; ozedli z tom respektovlice prodvhany malby a droma detni.

Josef Sudek, Ve mi, 1923, Evening, 1923. 45 × 60 mm negativ. NPM Praha. Gf 7-847. Foto archiv NPM Praha.

Josef Sudek, Zátaicheř sochy, Minosi, 1962–1970. Hliaggretará Sculptures / Minosi, 1953–1970. 135 × 105 mm. MG Brno. MG S 501. Foto archiv.

V mezinárodním hnutí, které se kolem roku 19. a 20. sezen umaiło mez zatít, co umírnim je a co jím není, nepoůtvaly zaobírem poslebenke přezumehu obláete. „Pokud se jiše umělviekho výraz české fotografie profesiorelini, nemela tato ani zdaleka tak prozošivch podmonek ka svemu rozvoj, jako fotografie umatetská, jákkad jasan v pravé řadi odkazám ma vkaz. mozžna říci spiše nevkus néravého obecenstva. Tomato cíle nechtěl se mus podvísovat.

Neběřa dostatečně zdůranitnno, že již před prvn mírovou válkou hudbáa byste umění dobvat situoom přímá, ko zvesim v memárrni fotografo. To odpovíd dynamice vývoje skeleuvých prostředkú i obesměnu spoletotnikou poskibou plothění, nez „Turpeul arstisum" pikturalism. V roce 1913, keja zaral Josef Sudek fotografonat, vyšel za Fotografickém okram titut V emálý, espromeranmy amerckým fotkatem Dambomsom Josefem Rsmšiekm. V souvekém výstavy Česká fotografie 20. stoleti, mka tiskovne roku 2005 Vladislaven Birgusem a Janem Mlčochem, byl snímek datován 1918 a publikován pod titolem Kdyz jsme k tšě mody chlapci. Zapomíná se, že D. J. Rmšič-ka zpernčilkovail mistrárku Cedelho klubu fotografii amateru v Prazc som zatouámekom zkušenosti i čankem septunim jiš před prvn setromou válkou jistromom Českohio klubu fotografi ameteřn Karlem Andením. Informu-tal a ročkach smelských jevich kvesku mistka o domolágiech plorevat malebnost hou prtvánika, coi najde s desitirných krustch o desritich letech album odtavar „Pro umelar-fotografa bude kuzmua s přisbanou optikou tim, čim je pro malice vitsa a barva, jeho chu a individualm výjádre.

In margine založení Sbírky fotografie Moravské galerie v Brně

1926 Karel Holešovský
*1931
Studoval dějiny umění a klasickou archeologii na Filozofické fakultě MU v Brně (1952–1958). Působil dva roky v Domě umění města Brna, v letech 1961–1967 byl kustodem sbírky užité grafiky v Moravské galerii, roku 1961 prvním kustorem historikém Brnoslk sbírk užité grafiky. 1967–1976 vedoucím odboru odborné výtvje lednum MG. 1977–1993 vedoucím uměleckoprůmyslového oddělení MG. V letech 1968–2003 přednášel vývoj uměleckého řemesla a Seminář dějin umění na FF MU v Brně. Publikoval v časopisech Tvar, Umění a remeslo, Starožitnosti a užité umění. Je znalcem v oboru plakátu, užité grafiky, skléství, keramik plastika, miniatur, sbaterství, šperkařství a medailérství.*

Studied art history and classical archaeology at the Faculty of Arts of Masaryk University in Brno (1952–1958). Afterwards, two years in the Art House in Brno, during 1961–1967 the curator of the collection of graphic design in the Moravian Gallery, in 1961 the first curator of the Brno Biennale of Graphic Design. 1967–1976 head of the specialised public Library of the Moravian Gallery. 1977–1993 head of the department of applied arts of the Moravian Gallery. During 1968–2003 lectured on the development of arts and crafts and the Seminar of Art History at the Faculty of Arts of Masaryk University in Brno. Has published in the journals Tvar, Umění, Umění a remeslo. Sometimes a court expert. Expert in the fields of poster, graphic design, glass design, bronze sculpture, miniatures, goldsmith's art, jewellery, medals.

25

ISBN 80 7027 169 4

Orienteering

taking a bearing in the book
map of the contents, scale 1: 6, 666667

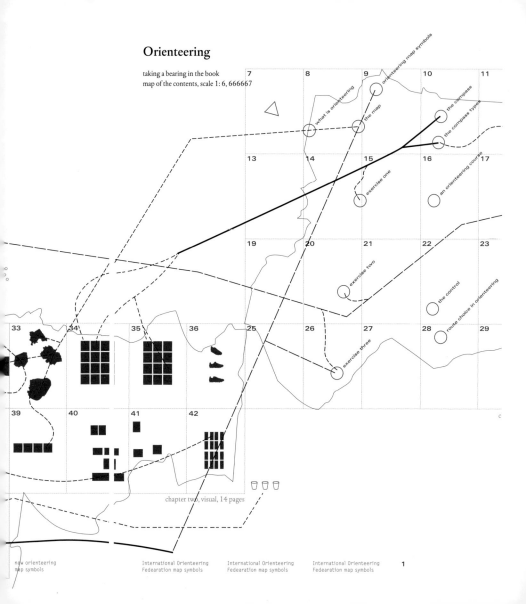

7

8

9   orienteering map symbols

10

11

what is orienteering

the map

the compass

the compass types

13

14

15

16

17

exercise one

an orienteering course

19

20

21

22

23

exercise two

the control

route choice in orienteering

33   34   35   36   25

26   27   28   29

exercise three

39   40   41   42

chapter two, visual, 14 pages

new orienteering
map symbols

International Orienteering
Federation map symbols

International Orienteering
Fedearation map symbols

International Orienteering
Fedearation map symbols

1

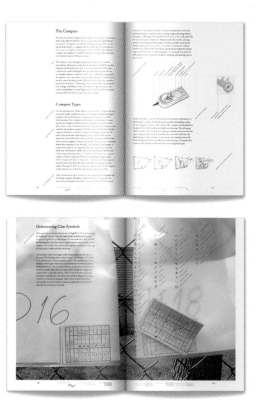

Un des exercices qui nous a été imposés à l'école s'intitulait « PLAY ». On nous a demandé de réaliser un livre ayant trait aux jeux ou au sport. Nous avions pour consigne d'insérer un texte de 10 000 mots, trouver des illustrations, imaginer des variantes aux jeux choisis. Adam a choisi le thème du jeu de piste, qu'il a beaucoup pratiqué étant petit. La couverture, représentant une carte, suggère d'emblée le contenu du livre. Il a imaginé des cartes ayant pour thème les champignons magiques, les eaux vives et dormantes, les baies sauvages ; ainsi que des vêtements de camouflage et un alphabet secret.

The school exercise with Norm was called 'PLAY', and we were supposed to create a book about any game or sport. We had to do everything – put together a 10,000-word text, find the imagery and then propose our own modifications of the chosen game. Adam chose orienteering, a sport he did as a child. The book had a map-like cover as the key to its content. He designed a set of new map symbols such as magic mushrooms, living and dead water, forest fruits; running dresses using camouflage, and a secret alphabet.

FOND: O' Symbol   Style: Plain   ID: 32543   Type: BM

6 pt.
7 pt.
8 pt.
9 pt.
10 pt.
12 pt.
14 pt.
18 pt.

36 pt.

9/10   10/11   11/12

12/13   13/14   14/15

48 pt.

theTypeBook
A Power Tool from Jim Lewis

Customized/Registered versions are available from
Golden State Graphics • 2137 Candis • Santa Ana, CA 92706
714/542-5518 • CIS 71650,2373 • AOL JimXLewis

First		1000		100
▷				
1	201		1/3	
2	X9		3	
3	203		4	
4	204		5	
5	205		6	
6	206		7	
7	207		8	
8	208		9	
9	209			
10	210			
Second		**2000**		**200**
11	11			
12	12			
13	13			
14	14			
15	15			
16	16			
17	17			
18	18			
19	19			
20	20			
21	21			
22	22			
23	23			
24	24			
25	25			
26	26			
27	27			
28	28			

1000 m long, 100 m climb
start: terrace, on top
1: spur, 1/3 m, upper part
2: narrow ride, . lower part
3:
4: . 4 m, foot
5: . bend
6: hill, 7 m, N side . NE part
7: . E edge
8: . SE foot
9: . S corner
10:
2000 m long:
11:

the control number
the control code
which of several similar features
the feature
details of the feet appearance
dimensions of the feature
location of the control marker
other information

undergrowth: difficult to run
vegetation: very difficult to run, impassable

21

COUVERTURE DE L'ÉDITION AMÉRICAINE
DE *STREETWEAR*, UN LIVRE CONSACRÉ
À LA MODE URBAINE MONDIALE.
RÉALISÉE DURANT UN STAGE
CHEZ CHRONICLE BOOKS
16,5 x 21,5 CM
SAN FRANCISCO, 2006

COVER DESIGN FOR THE AMERICAN
EDITION OF *STREETWEAR*, A BOOK
ON GLOBAL URBAN FASHION.
CREATED DURING A DESIGN
FELLOWSHIP AT CHRONICLE BOOKS
16,5 x 21,5 CM
SAN FRANCISCO, 2006

SAISON 2007–8

THEATRE
DE VEVEY

Il s'agit d'un programme dont la couverture est
une affiche pliée. Une fois dépliée, on ne voit qu'un
amas chaotique de caractères typographiques.
Ce n'est que lorsqu'on commence à tourner
les pages que les illustrations prennent forme.

The cover of this programme is a folded poster stapled
to the booklet. Once unfolded, the poster shows
a chaotic heap of typography. Only when you start
flipping through the pages do the illustrations start
to make sense.

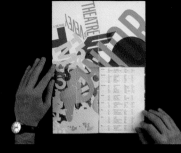

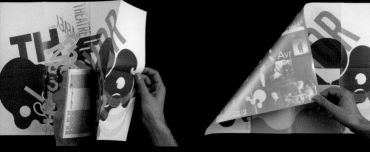

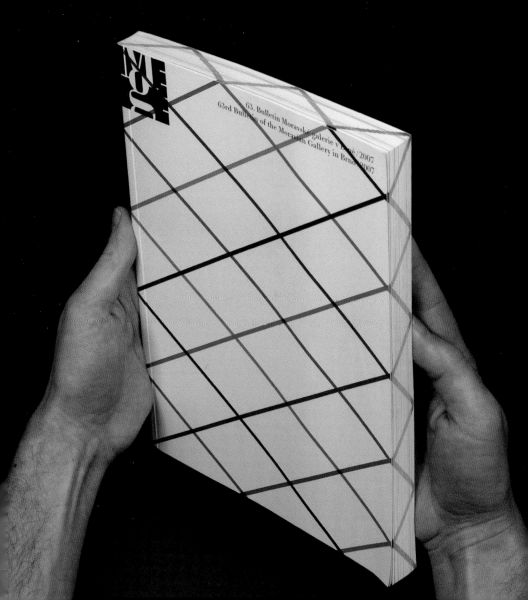

63. Bulletin Moravské galerie v Brně /2007
63rd Bulletin of the Moravian Gallery in Brno/2007

BULLETIN OF THE MORAVIAN GALLERY 2007
20,2 x 26 CM, RELIURE COUSUE
252 PAGES, OFFSET
DÉCEMBRE 2007

BULLETIN OF THE MORAVIAN GALLERY 2007
20,2 x 26 CM, SEWN PAPERBACK
252 PAGES, OFFSET
DECEMBER 2007

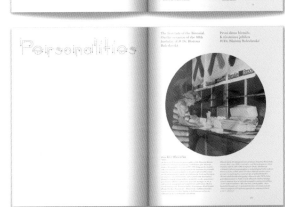

ACKNOWLEDGEMENTS:

Adam: Anothai, mama, tata, Boro, Mikulas, Stepan, Sarka, Ani, babicka a deda
Sébastien: Rosalie, Luce, Christian, Domenica, Myriam

Aya Akazawa, Joel Amaudruz, Tim Auberson, Vincent van Baar, Laura Bagnato, André Baldinger, Johanna & Peter Bilak, Marianne Beck, Olga Benesova, Meagan Bennett, Takeru Bessho, Julia Born, Dimitri Bruni, Tomas Celizna, Dan Cerny, Jenna Cushner, Linda van Deursen, Antonin Dufek, Gert Dumbar, Misa Dvorakova, Paul Elliman, Yvona Ferencova, Kristina Fiserova, Jake Gardner, Joe Gebbia, Fabrice Gender, Jo Gulliver, Marketa Hanzalova, Will Holder, Milan Houser, River Jukes Hudson, Saana Jyla, Tera Klimovicova, Iva & Petr Knobloch, Jan Kolar, Antonin Komarek & Rene Rebec, Dennis Koot, Marika Kupkova, Lucie Kutalkova, John Laing, Emilie Lamy, Tana Langaskova, Zuzana Lednicka, Pavel Lev, Honza Lichy, Harmen Liemburg, Brett MacFadden, Kristjan Mändmaa, Zdenek & Ivo Markovi, Karel Martens, Julien Mayor, Diego & Stef Melchior, Martin Minks, Singal Moesch, Ales Najbrt, Michal Nanoru, Richard Niessen, Luke O'Neill, Jiri Patek, Radim Pesko, Mirka Pluhackova, Marek Pokorny, Ania Pohl, Zdenek Primus, Adriana Primusova, Pro Helvetia, Olivier Rambert, Paul Rambert, Leo Ramseyer, François Rappo, Germinal Roaux, Sara Schneider, Martin Schooley, Simon Sedlacek, Ivan Sikyr, Jitka Spackova, Petr Stepan, Martin Svoboda, Pyramyd team, Scott Thorpe, Mauro Turin, Rostislav Vanek, Bohumil Vasak, Raphael Wullschleger, Marketa Zackova, José Zenger & Philippe de Bros, Zdenek Ziegler, all participants and people who helped us with 'Work from Switzerland', 'Cool School' and 'From Mars' exhibitions, our friends, colleagues and all those who support and inspire us.

Photo credits:
Michaela Dvorakova (The Collectors, back cover)
Mikulas Machácek (Cool School, page 55)
Martin Polak (From Mars, pages 56-57)
Michal Ures (Cool School, page 55)

Inside cover:
Wallpaper for Basmatee shop, Prague, 2008

www.welcometo.as